De vrouw in de koelkast

GUNNAR STAALESEN

De vrouw in de koelkast

Manteau

THRILLER

Oorspronkelijke titel Kvinnen i kjøleskapet
Vertaling Annemarie Smit

© 1981 Gyldendal Norsk Forlag
© 1996 Nederlandse vertaling Uitgeverij Manteau/Standaard
Uitgeverij nv en Annemarie Smit, Standaard Uitgeverij nv,
Mechelsesteenweg 203, B-2018 Antwerpen
www.manteau.be
info@manteau.be

Omslagontwerp Wil Immink
Foto omslag: © Yolande de Kort / Trevillion images

ISBN 978 90 2232 422 6
D/2009/0034/490
NUR 330

Hoofdpersoon in Gunnar Staalesens detectives is Varg Veum, privédetective uit Bergen, Noorwegen. Na zijn echtscheiding en nadat zijn carrière als maatschappelijk werker bij de kinderbescherming is stukgelopen, is Veum op zichzelf begonnen. In zijn kantoor in het centrum van Bergen, met uitzicht over de haven, de vismarkt en de berg Fløien, wacht hij met een fles aquavit in zijn bureaula op klanten. Dat zijn meestal gewone mensen, die hem vragen een verdwenen familielid voor hen op te sporen of behulpzaam te zijn bij het terugvinden van eigendommen. Als hij echter eenmaal aan een opdracht begint, ontdekt Veum vaak het ene lijk na het andere, tot groot ongenoegen van de plaatselijke politie.

De naam Varg Veum – spreek uit: Warg Wé-uum – is afgeleid van de Oudnoorse uitdrukking 'varg i veum', wat 'persona non grata' of 'ongewenste vreemdeling' betekent: een grapje van zijn vader, die hevig geïnteresseerd was in de Scandinavische mythologie. 'Varg' is ook een verouderd woord voor 'wolf. Met zo'n naam is het niet verwonderlijk dat men enigszins vreemd opkijkt wanneer Veum zich voorstelt.

Het is 1981 en Varg Veum vertrekt voor een opdracht naar Stavanger. De stad maakt, als gevolg van de olievondsten in het Noordzeegebied, een explosieve groei door. Er verandert veel voor het zuidwesten van Noorwegen: de werkgelegenheid neemt toe en de infrastructuur wordt steeds beter, maar in het kielzog van het grote geld komen ook criminaliteit en prostitutie naar Stavanger. Typisch voor dit deel van Noorwegen zijn de streng religieuze sekten, die hier een grote aanhang genieten. Vooral in kleine plaatsen aan de fjorden, in de dalen in het zuiden en in de agrarische kuststreek Jæren zijn drukbezochte *bedehus* – gebedshuizen – te vinden, met predikanten die constant waarschuwen tegen de opkomende criminaliteit.

ANNEMARIE SMIT

1

Het kleine houten huis lag halverwege de Dragefjellstrap, die als een Parijs' steegje tegen de Dragefjell omhoogloopt. De naam op de deur klopte: *Samuelsen.*

Het was een koude, troosteloze dag begin november. Ik belde aan en wachtte buiten op de stoep. Ze had me verteld dat ze slecht ter been was en dat het even zou duren voor ze opendeed.

Er hing een muffige lucht van oud hout en verse kachelrook in het nauwe steegje. De bruine rook bleef hangen boven de daken. Tegen de berghellingen rond de stad dreven de witte mistflarden van de eerste vrieskou.

De vrouw die opendeed was begin zestig. Haar haar was wit bij de wortels, geelbruin aan de uiteinden. Het was in een soort pagemodel geknipt, met hoekige kanten. Haar gezicht was erg gerimpeld. Ze had een strakke, smalle mond en haar kin stak recht naar voren, als een kleine skischans. Haar hele kaakpartij straalde iets zekers en energieks uit.

Haar ogen waren minder zeker. Ze waren licht en blauw en vanuit haar pupillen vertakte zich een net van rode adertjes. Ze tuurde me met samengeknepen ogen aan, de deur op een kier, haar hoofd angstvallig achter de deuropening.

Ik glimlachte geruststellend en zei: 'Mijn naam is Veum, mevrouw.'

'Veum?' antwoordde ze, alsof ze die naam nog nooit had gehoord. 'Kunt u zich legitimeren?'

Ik liet haar mijn rijbewijs zien en ze bestudeerde de pasfoto aandachtig. 'Bent ú dat?'

'Een paar jaar geleden', zei ik.

Ze keek naar me op. 'Uw gezicht is nu meer getekend. Komt u binnen.'

Ze stapte behoedzaam opzij en deed de deur helemaal open.

Ik kwam binnen in een donkere hal. Aan de rechterkant leidde een smalle wenteltrap naar boven, waar hooguit ruimte kon zijn voor een of twee kleine kamertjes. De deur recht voor ons was gesloten, de deur naar links stond op een kier.

De vrouw hield een stok in haar hand, waar ze bij het lopen zwaar op steunde. Haar ene been was bijna helemaal stijf. Ze ging voor mij uit de linkerkamer in en wenkte dat ik haar moest volgen.

We kwamen een kleine woonkamer binnen. Tegen een wand stond een oude, versleten sofa. In de ene hoek van de sofa lagen een laken, een dekbed en een wollen deken in elkaar gerold. In de andere hoek lag een geborduurd kussen met een afbeelding van de Arc de Triomphe en de tekst *La belle France*. Voor de sofa stond een lage salontafel, met op de plank eronder een stapeltje kranten en tijdschriften. Op het tafeltje zag ik een halfvol koffiekopje, een bordje met wat broodkruimels, een geopende envelop waar de punt van een brief uitstak, een kleine kandelaar met een bijna opgebrande kaars, een pakje goedkope Noorse sigaretten en een doosje lucifers. Ze had het schoteltje van haar koffiekopje als asbak gebruikt.

Achter in de kamer stond de deur naar de keuken halfopen. Naast de keukendeur, tegen de muur, stond een zwarte houtkachel, waarin droog brandhout knapperde, en de temperatuur in de kamer was ongeveer even hoog als in een sauna.

Voor de lage salontafel stonden twee fauteuils met versleten bekleding en ze gebaarde dat ik in een ervan kon gaan zitten. Zelf strompelde ze verder naar de sofa.

Toen ze zich had geïnstalleerd knikte ze even naar de wand achter me en zei: 'Dat is mijn dochter.'

Ik draaide me om. Tegen de wand stond een secretaire met een eenvoudige boekenplank erboven, waar afgezien van een telefoonboek geen boeken op stonden. De telefoon stond op de secretaire zelf. Links van de telefoon zag ik de ingelijste foto van een jonge vrouw. Ze leek niet erg op haar moeder, maar ze had dezelfde markante kin. Haar wenkbrauwen waren smal, haar neus lang. Ze staarde ons vanaf de bijna statige secretaire ernstig aan: als een heiligenbeeld op een altaar.

'Maar het gaat om Arne', zei mevrouw Samuelsen achter me. 'Mijn zoon.'

Ik draaide me weer om en keek haar beleefd aan.

Ze beet op haar lip en knipperde met haar ogen. Haar stem brak even toen ze zei: 'Ik... ik heb niets meer van hem gehoord sinds... Al een paar weken niet.' Ze knikte naar de open brief op het tafeltje.

'Is dat ongewoon?'

'Ja.' Ze slikte. 'Hij... hij is altijd heel trouw... hij schrijft me regelmatig.'

'Waar is hij?' vroeg ik voorzichtig.

'Hij woont in Stavanger. Hij werkt op een olieplatform, ergens op de Noordzee. Ik heb nooit begrepen waarom hij niet bij mij wilde blijven wonen, hier thuis. Maar hij heeft in Stavanger een appartement gehuurd waar hij woont als hij niet... op zee is.'

'Juist ja. En hoe vaak hoort u gewoonlijk van hem?'

'Hij schrijft me altijd als hij met verlof is.' Ze trok een notitieboekje onder het tafelkleed vandaan en bladerde erin. De bladzijden waren beduimeld, hadden ezelsoren. Het was een boekje waar ze vaak in keek. 'Hij is net tien dagen op zee geweest en daarna zou hij tien dagen verlof hebben en hij is... Hij moet nu al zes dagen aan de wal zijn en ik heb nog steeds niets van hem gehoord... Als hij drie weken thuis... aan de wal is... dan komt hij altijd een paar dagen naar Bergen, maar als hij maar tien dagen heeft, blijft hij in Stavanger.'

Ik zei geruststellend: 'Maar dan heeft hij het misschien druk, met andere dingen, bedoel ik.'

Ze keek me niet-begrijpend aan. 'Waarmee dan?'

Ik haalde mijn schouders op. 'Hoe oud is hij?'

'Achtentwintig.'

'Noü...' Ik spreidde mijn armen. 'Jonge mannen van die leeftijd...'

'Jonge mannen van die leeftijd!' snoof ze. 'Bovendien is hij niet thuis.'

'O nee?'

'Nee, ik heb de afgelopen drie, vier dagen elke dag zijn hospita gebeld... en zij zegt dat er niemand opendoet als ze aanbelt. Gisteren... gisteren heb ik haar gevraagd of ze niet naar binnen kon gaan, of ze geen reservesleutel had...'

'En?'

'Toen belde ze terug en toen... Er was niemand. Het appartement was helemaal leeg. Ze begon over de huur.'

'Dat doen hospita's graag. Misschien is hij op vakantie?' zei ik luchtig. 'De lui die op een olieplatform werken... die verdienen niet bepaald weinig.'

'Niet zonder het mij te vertellen. Dat zou hij nooit doen. Arne niet.'

'O...'

'Nee.'

Na een korte pauze zei ik: 'En het laatste wat u van hem gehoord heeft, was dus...'

'Hij is tien dagen weg geweest en hij moet nu al vijf of zes dagen thuis zijn. En vlak voordat hij de vorige keer vertrok heeft hij me nog geschreven, dus dat wordt... vijftien, zestien...'

'Heeft u er al aan gedacht de... politie in te lichten?'

Ze keek me verbolgen aan. 'Waarom denkt u dat ik u heb gebeld?'

'Als hij echt verdwenen is... dan hebben zij veel meer mogelijkheden. Ze kunnen hem in een mum van tijd opsporen. Ik ben maar... alleen.'

'Maar ik wil niet... Stel... stel je voor dat er niets aan de hand is. Dat zou zo gênant zijn... voor hem.'

'Dus u denkt... U denkt dus toch dat hij ergens naartoe gegaan kan zijn, zonder dat aan u te vertellen?'

'Nee!' zei ze scherp. En toen, peinzend: 'Zo is hij niet...'

Ik zuchtte. 'Weet u of hij... Heeft hij misschien een... vriendin?'

Ze schudde haar hoofd, met strakke mond. 'Nee. Daar heeft hij nooit iets over geschreven.'

'Maar zijn hospita dan... hospita's weten dat soort dingen meestal.'

'Zo is hij...' begon ze. Toen stopte ze en ze boog zich over de tafel naar me toe. 'Zoiets vertellen ze niet aan hun moeder. Begrijpt u? Daarom wil ik graag dat u naar Stavanger gaat, met zijn hospita praat, zijn werkgever, anderen die hem kennen... dat u probeert hem te vinden... voor mij...'

'Uw dochter... zou zij misschien iets weten?' Automatisch draaide ik me half naar de foto achter me, alsof ik daar direct een antwoord van verwachtte te krijgen.

Ze zei voor zich uit: 'Mijn dochter is dood. Ze is... bijna acht jaar geleden overleden.'

'O, dat spijt me... ik...'

'Het geeft niet. Dat kunt u toch niet weten... Het is ook

niet normaal dat mensen sterven... als ze nog zo jong zijn.'

Het werd stil in de donkere kamer. Haar gezicht leek uit knoestig hout gesneden. Onder haar huid waren donkere lagen zichtbaar, waar de zorgen zich hadden vastgezet, voor altijd.

Ik zei: 'Dat zal... wel wat kosten. Ik moet er vast een paar dagen blijven en ik heb geld nodig voor de reis, voor een hotel, eten, misschien een huurauto, de telefoon... En dan nog mijn gewone honorarium. Het is goedkoper als u de politie...'

'Ik wil niet dat de politie...!' barstte ze heftig uit. Rustiger zei ze: 'Ik heb geld. Ik heb het verder nergens voor nodig. Wilt u een voorschot?'

Ik knikte zwak. 'Wat is zijn... adres?'

Ze gaf het me. 'De hospita heet mevrouw Eliassen.'

Ik noteerde het. 'Hoe lang woont hij daar al?'

'Een jaar of twee, drie.'

'Wat heeft hij hiervoor gedaan?'

'Hij is een paar jaar op zee geweest.'

'En voor welke firma werkt hij?'

Ze noemde de naam van een van de Amerikaanse olie-maatschappijen die de rechten hadden gekocht van een aan-zienlijk deel van de Noordzeebodem en van alles wat zich eronder zou kunnen bevinden. 'Die heb ik ook gebeld, maar zij zeggen dat ze zich niet bemoeien met wat hun werkne-mers in hun vrije tijd doen. Als ze zich maar weer op tijd op het platform melden.'

'Ik begrijp het. Heeft u een bepaald iemand gesproken?'

'Ja, maar ik weet niet meer... het was een vrouw.'

'Nou ja, daar kom ik wel achter.'

Ze keek me vragend aan. 'Denkt u...' Haar stem ging over in gefluister: 'Denkt u dat u me kunt helpen?'

'Ik zal het proberen', zei ik. 'Heeft u een foto van hem?'

'Ja, ik... Hij wilde niet naar de fotograaf... zoals Ragnhild, maar ik heb er hier eentje.' Ze pakte haar handtas onder de tafel vandaan en haalde er een fotootje uit. Ze gaf het me en ik bekeek het. Het was een redelijke foto. Hij stond met zijn gezicht in de zon en kneep een beetje met zijn ogen, maar de zon tekende de lijntjes in zijn gezicht zo duidelijk dat je zijn profiel kon vermoeden, ook al was de foto en face. Ik knikte om aan te geven dat hij bruikbaar was.

Hij leek een beetje op zijn zus: dezelfde krachtige, vierkante kin – mannelijk bij hem, iets te dominant bij haar – dezelfde dunne, bijna getekende wenkbrauwen en dezelfde lange, rechte neus. Maar zij had heel donker haar gehad en hij was lichtblond.

'Het is niet moeilijk te zien dat ze broer en zus zijn', zei ik.

'Nee... ze lijken op hun vader, allebei', antwoordde ze.

'Kunt u me verder nog iets over uw zoon vertellen? Heeft hij hobby's? Wat doet hij in zijn vrije tijd?'

Ze keek me hulpeloos aan. 'Hij is maar zo weinig thuis geweest. Eerst die jaren op zee en nu... daarginds. Hij... hij hield van lezen. En hij ging naar het voetbal. Of naar de bioscoop. Maar... dat is allemaal vrij gewoon, nietwaar?'

'Ja, eigenlijk wel.'

'Hoe... hoeveel geld heeft u nodig?'

Ik maakte snel een berekening in gedachten. 'Laten we zeggen... tweeduizend kronen, voorlopig. Na afloop krijgt u natuurlijk een gespecificeerde rekening, met de nodige bijlagen. Maar ik heb eigenlijk...'

'Dat is in orde. Wilt u alstublieft even naar de gang gaan?'

'Naar de gang?'

'Ja. Dan zal ik...' Ze wreef haar duim en wijsvinger tegen elkaar, het internationale teken voor geld.

Ik stond gehoorzaam op en ging naar de gang. Ik kon horen hoe ze door de kamer stommelde. Ik hoorde het getik van haar stok op de vloer en weer terug. Ten slotte deed ze de deur weer open. 'Nu kunt u binnenkomen.'

Ik ging de kamer weer in en keek onwillekeurig om me heen. Maar alles was nog hetzelfde. De enige verandering was de stapel bankbiljetten die ze in haar hand hield.

Ze reikte me het stapeltje aan. 'Telt u het alstublieft even na... dan... En ik wil graag een kwitantie hebben.'

'Die krijgt u.' Ik telde de twintig briefjes van honderd na en haalde pen en papier uit een van mijn binnenzakken. Ik ging bij de salontafel zitten en begon te schrijven. Ik keek even op. 'Uw voornaam was...'

'Theodora', zei ze. Ze was blijven staan, alsof ze wachtte tot ik weg zou gaan.

Ik schreef: *Ontvangen van mevrouw Theodora Samuelsen, 2000 Nkr.* Vervolgens de datum en mijn handtekening: V. Veum.

Ik gaf haar de kwitantie en noteerde het bedrag in mijn notitieboekje. Toen stond ik op. Ik keek haar een ogenblik aan en zei toen: 'Ik vertrek morgenochtend vroeg. Ik moet vandaag nog een paar zaken afhandelen hier in de stad. Zodra ik iets weet, hoort u van mij.'

Ze knikte. Ze leek nu wat opgewekter. Er gebeurde tenminste iets, dat gaf voldoende reden om te hopen. Ik hoopte alleen dat ze niet teleurgesteld zou worden. Waarschijnlijk was hij ergens ondergedoken, met een of ander meisje. Zonen doen dat soort dingen soms en ze denken er niet altijd aan hun moeder daarvan op de hoogte te stellen.

Voor ik wegging vroeg ik: 'Schreef hij nog iets bijzonders... in zijn laatste brief? Iets dat...'

Ze schudde haar hoofd. 'Nee. Alleen het gewone. Hij... hij schrijft niet zo veel... het belangrijkste is *dat* hij schrijft, dat ik weet... dat hij het goed maakt.'

'Ja. Natuurlijk. Het komt vast goed', zei ik. 'We spreken elkaar... zodra ik... Tot ziens... en bedankt.'

'O, geen dank.'

Ze deed de deur stevig dicht achter me en ik liep het steile steegje weer af. Ik was nog geen halfuur binnen geweest.

2

Er zat een man in mijn wachtkamer. Hij bladerde in een van de overjarige pornobladen die ik geërfd had van de vorige huurder, een arts die hier voor mij zijn praktijk had gehad. Het blad was zó oud, dat het meisje dat op de opengeslagen middenpagina stond afgebeeld een bikinibroekje droeg en met haar rug naar de fotograaf stond. Toen ik binnenkwam, legde hij het blad weg en stond op.

'Monsen', stelde hij zich voor. 'Harry Monsen. Ik weet niet of die naam u iets zegt.'

Ik knikte. 'Dat zegt me wel iets.' We gaven elkaar een hand.

Hij kwam uit het oosten van Noorwegen en droeg een grijs kostuum met een vest. De snit was elegant, voornaam. Op de stoel naast hem lag een lichte poplin jas. Hij was een jaar of vijftig, niet uitgesproken lang en zijn bruine haar zag er pasgewassen uit. Het had precies de juiste lengte boven zijn oren en in zijn nek. Hij was vaste klant bij zijn kapper, eens per week. De huid van zijn gezicht was een beetje rood, als na een heet bad. Hij leek nogal opgetogen, alsof hij blij was mij te ontmoeten. Maar ik ging ervan uit dat hij vond dat dat omgekeerd moest zijn.

Ik hoorde me vereerd te voelen. Harry Monsen was onze enige internationaal bekende privédetective. Hij leidde een groot detectivebureau in Oslo, het grootste van het land. Voor zover ik wist had hij acht of negen medewerkers. Ik had geen idee wat hem naar de andere kant van het land bracht, maar ik nam aan dat ik dat wel te horen zou krijgen.

'Kom binnen', zei ik.

Hij nam een vierkante aktetas met glimmend beslag mee: het zakenmantype.

Ik maakte de deur naar mijn kantoor open, deed het licht aan en wierp een snelle blik op het interieur. Het stelde niet veel voor, maar ik had het een paar dagen geleden nog schoongemaakt, dus het zag er eigenlijk best netjes uit. De laag stof op mijn bureau viel niet eens op. Je zou zelfs de indruk kunnen hebben dat ik zo nu en dan wat te doen had.

'Ik heb zojuist een nieuwe opdracht gekregen. Ik kom net van mijn cliënt', zei ik, om duidelijk te maken dat ik niet alle tijd van de wereld had.

Hij keek mijn kantoor rond, met een gezicht alsof hij een slok sinas nam waar de prik uit was. 'Dus hier... werkt u?' vroeg hij op een enigszins neerbuigende toon.

'Het uitzicht is mooi', zei ik, naar het raam wijzend.

De berg Fløien was in grijze nevels gehuld, de schoorsteenrook hing zwaar boven de daken, de mensen buiten hadden zich warm aangekleed.

'Ja', zei hij, weinig enthousiast.

Ik had een knoop in mijn maag. Ik had het gevoel dat ik aan een inspectie werd onderworpen. Ik vond het niet prettig.

Ik wees naar mijn bezoekersstoel en hij ging zitten. Zelf nam ik achter mijn bureau plaats. Toen zei ik: 'Waarmee kan ik je van dienst zijn?'

'Tutoyeren wij elkaar?' zei hij, met een vragend gezicht. Ik knikte.

'Goed', zei hij. Met twee klikjes opende hij de aktetas, die op zijn schoot lag. Toen herhaalde hij: 'Goed.'

De knoop in mijn maag werd losser en trok weer aan, nog steviger.

Hij haalde een folder uit zijn tas en reikte me die aan. 'Dit zijn wij', zei hij.

Ik bekeek de folder. Het leek op een presentatiebrochure van een modern reclamebureau. Het papier was roestkleurig en glanzend, de typografie protserig, HARRY MONSEN BV DETECTIVEBUREAU, AANGESLOTEN BIJ DE IKD, was het opschrift. Verderop in de tekst werd IKD verklaard als *Internationale Kommission der Detektivverbände*. Ik las niet alles, maar ik begreep dat Harry Monsen – volgens zijn eigen reclame – een detectivebureau van internationale allure leidde, dat hij alle soorten opdrachten aannam, van 'huwelijksproblemen' en 'persoonsonderzoeken' tot iets wat 'industriële onderzoeken, met de modernste elektronische hulpmiddelen' genoemd werd. Ik voelde dat ik er geïmponeerd hoorde uit te zien, maar ik keek slechts vragend naar hem op.

'Ik weet niet of ik behoefte heb aan...' zei ik. 'Help de mensen zelfstandig te zijn, dat is mijn motto.'

Hij keek me onderzoekend aan. 'We hebben over je gehoord, Veum. In Oslo. We hebben goede dingen gehoord... maar ook slechte...'

'O ja?' vroeg ik.

'Laten we met de goede dingen beginnen.'

'Ja, laten we dat doen.'

'We hebben gehoord dat je een bekwaam detective bent, met behoorlijk wat menselijk inzicht, dat je met name in zaken die jonge mensen betroffen een gelukkige hand hebt gehad, af en toe.'

'Een gelukkige hand, dat is de juiste uitdrukking. En vooral af en toe.'

'Ja, dat je een eigen stijl hebt, hebben we ook gehoord. Verbaal, bedoel ik. En dat dat niet altijd goed uitpakt.'

'We zijn inmiddels bij de slechte dingen aanbeland, begrijp ik.'

'Nee, nog niet helemaal. We hebben gehoord dat je nogal koppig kunt zijn: een gezonde, positieve koppigheid...
waardoor je goede resultaten boekt. Dat je niet opgeeft.
Zelfs als je er financieel bij inschiet.'
'Ik? Ergens bij inschieten? Je hebt zeker relaties bij de be-
lastingdienst.'
'Maar,' zei hij zeer nadrukkelijk, 'we hebben ook gehoord
dat je een paar flinke blunders hebt begaan. En toen vroegen wij – of ik – me af: waarom? Het antwoord is eenvoudig.
Als een op zich respectabele en goedbedoelende privédetective een blunder maakt, dan is dat in negenennegentig procent van de gevallen te wijten aan het simpele feit dat hij
alleen opereert. Dat hij geen apparaat heeft om op terug
te vallen. Tegen de tijd dat hij een grondig, breed opgezet
onderzoek heeft afgerond, zijn de bewijzen verdwenen of is
de vogel gevlogen.'
'Heb je zo uitgebreid nagedacht... over mij?'
'Niet alleen over jou. Ook over anderen, andere min of
meer fatsoenlijke privédetectives die alleen opereren. Je bent
niet de enige, maar de meesten verdwijnen al snel uit beeld.
Terwijl jij... Hoe lang doe je dit werk nu eigenlijk?'
Ik keek op de kalender. Het jaartal klopte in elk geval.
'Vijf jaar alweer.'
'Nou ja.' Hij maakte een weids gebaar met zijn handen.
'Weliswaar heb je dit geografische gebied vrijwel voor je-
zelf, maar toch... 't Is niet slecht, Veum. Helemaal niet slecht.'
Ik knikte naar zijn aktetas. 'Zit daar nog meer in? Je hebt
de oorkonde toch niet vergeten?'
'Het valt me op zoals we hier zitten te praten... het valt me
op dat je stijl een beetje... agressief is? Nerveus? Alleen wer-
ken gaat je vast niet in de kouwe kleren zitten.'
Ik keek hem aan. 'Hoezo? Ik werk alleen. Dat betekent
dat ik alleen mezelf verantwoording schuldig ben. Ik kan

komen en gaan wanneer ik wil, de telefoon opnemen wanneer ik wil... en als het mag van de PTT. Ik kan 't me veroorloven bepaalde zaken niet aan te nemen, me veroorloven mezelf te respecteren... vooral dat laatste.'

Peinzend zei hij: 'Wat voor soort zaken doe jij eigenlijk, Veum? Waar leef je van, om het zo te zeggen?'

Ik hief mijn handen even op. 'Verdwijningszaken. Ik zoek mensen die verdwenen zijn. Nu... of tien jaar geleden. En ik vind ze... meestal.'

Ik wreef met mijn wijsvinger langs de rand van het tafelblad. 'Verder heb ik een vrij goed contact met een paar verzekeringsmaatschappijen hier in de stad. Eenvoudigere vormen van persoonsonderzoek, zoals jij dat in je brochure noemt. Andere naspeuringen waar ze soms behoefte aan hebben... in verband met branden, bijvoorbeeld. Jij kent dat werk net zo goed als ik. Eenvoudigere vormen van industrieel onderzoek, om weer jouw woorden te gebruiken...'

'Zoals bijvoorbeeld?'

'Zoals bijvoorbeeld? Tja. Laten we zeggen dat een firma onderdelen levert voor duikuitrustingen die bij het werk op de Noordzee gebruikt worden. De firma ontdekt dat gedeelten van de verzendingen nooit op de plaats van bestemming aankomen en dat een concurrerende firma plotseling een veel goedkopere aanbieding kan doen dan voorheen. Ze willen, voordat ze de politie inschakelen, eerst meer bewijzen in handen hebben. Dan komen ze bij mij. Is er een verband? vragen ze me. En ik los het voor ze op. Als ik geluk heb.'

Hij knikte met opeengeknepen lippen. 'Juist die zaken kunnen wij tien keer zo snel doen als jij... zolang je alleen blijft werken, Veum.'

'Maar jullie...'

'Wij zouden bijvoorbeeld', onderbrak hij me, 'het idee

kunnen opvatten ons ook op deze markt te gaan richten.'
Hij keek me met een stalen gezicht aan. We waren bij de es-
sentie van zijn bezoek aanbeland.

'Hebben jullie plannen in die richting?' vroeg ik, onder-
daniger dan mijn bedoeling was.

Hij knikte minzaam. 'We zijn inderdaad van plan uit te
breiden... in westelijke richting. Hier gebeurt het, Veum.'
Hij keek mijn kantoor rond, alsof het West-Noorwegen in
miniatuur was. Als hij dat dacht, dan wachtte hem nog een
verrassing in Mosterhamn. 'Op de Noordzee', ging hij verder. 'En in alle... zaken... die verband houden met de olie-
winning.' Hij sloeg met zijn vuist in zijn handpalm. 'Hier
zijn zaken te doen, Veum!'

Ik grijnsde. 'Je hebt de verkeerde stad uitgezocht, Monsen. Probeer Stavanger.'

'Stavanger! Stavanger is al bijna verleden tijd, Veum. Lees
je geen kranten? De economische bijlagen, bedoel ik. Mobil
komt nog dit jaar naar Bergen en de rest volgt in de komen-
de jaren. De Fransen. De Engelsen. En alle andere... zaken.'

'Welke zaken?'

'Klondyke, Veum! Waarom dacht je dat alle chique hoeren uit Oslo, eersteklas prostituees, smakelijk als slagroom-
gebakjes, hun anticonceptiepillen hebben ingepakt en naar
Stavanger zijn gegaan zodra er daar iets te gebeuren stond?
Omdat daar het grote geld zat, zo simpel is dat. En dat geld
heeft benen gekregen... en niet alleen damesbenen. Denk je
eens in, jongens van negentien, twintig jaar die nog nooit
van huis zijn geweest. Plotseling staan ze midden in Stavanger, met drie weken vrij en hun zakken boordevol briefjes
van duizend. Waar moeten ze die in godsnaam aan uitge-
ven, Veum?'

'Ja, waaraan?'

'Zaken, Veum', zei hij veelbetekenend. 'Zaken. Onze hulp

is al verschillende malen ingeroepen om... mensen en dingen op te sporen. Maar... dat is niet efficiënt, Veum. Dat is slecht personeelsbeleid. Mijn mensen in Oslo... die zijn niet bekend in Stavanger. Of in Bergen. Ook al hebben ze heel mijn internationale netwerk achter zich, dat helpt niet als ze in de achterbuurten van Stavanger of in die idioot smalle straatjes hier in de stad iets moeten zoeken.'

'Stegen heten die.'

'Die straatjes? Stegen? Charmant... Nou, wat zeg je ervan?'

Ik had iets gemist. 'Wat zeg ik waarvan?'

'Denk toch eens na, Veum! Ik zit je hier te vertellen dat mijn mensen veel meer tijd nodig hebben en daardoor hogere kosten maken... voor mijn klanten... dan iemand die plaatselijk bekend is. Dus als ik van plan ben mijn bureau uit te breiden met een kantoor in Bergen, dan...'

'Dan denk je dus aan... mij?'

'Kijk niet zo verschrikt. Is die gedachte nooit bij je opgekomen?'

'Nee, eigenlijk niet. Dit is zo nieuw voor me dat ik... ja, nee.'

'Maar?' Hij maakte een uitnodigend gebaar, als een Italiaanse kok die me in zijn bescheiden keuken verwelkomde. Jij spaghetti lekker vinden? Ja? Nee?

'Je hebt niet veel alternatieven, Veum. Of je wordt onze man in Bergen, onze afdeling, of we zoeken iemand anders. We ronselen bij de politie, of bij beveiligingsbedrijven. We betalen goed.'

'Ik verdien genoeg.'

'Maar je zou veel meer kunnen verdienen. Denk je eens in... een vast salaris! Je kunt een ander kantoor krijgen, moderner, ruimer...'

Ik keek om me heen. 'Ik hou van... het uitzicht.'

'Ons hele apparaat, Veum. Een telex! De modernste elektronische uitrusting voor... eh, onderzoek. Internationale verbindingen. Er kan veel via de telefoon geregeld worden. Je spaart je schoenzolen, je...'

Ik tikte met mijn wijsvinger op zijn brochure. 'Er staat hier iets over... huwelijksproblemen. Dat soort zaken doe ik niet.'

Hij staarde me aan. 'Maar waarom in...'

'Omdat ik, als ik 's morgens in de spiegel kijk, mezelf graag recht in de ogen wil kunnen kijken, zonder een slecht humeur te krijgen, in elk geval niet van iets *anders* dan van mijn kop. Daarom... daarom doe ik *dat* soort zaken niet.'

'Dergelijke principes kunnen wij ons in onze branche niet veroorloven, Veum. Wij werken waar geld is. Aan de goede kant van de wet, vanzelfsprekend, maar...' Hij zwaaide wat met zijn armen, maar kon zich niet goed uitdrukken.

'Precies. En daarom blijf ik liever waar ik ben.'

'Maar het geld, Veum!'

'Geld betekent niet zoveel voor me.'

'Nee?'

'Nee. Ik ben maar alleen en als ik een... vriendin zou hebben, dan zou die zichzelf kunnen onderhouden en mij eventueel ook. Ik heb wat ik nodig heb, Monsen. Ik hoef verder niets. Alleen de Vikingen namen hun bezittingen mee in hun graf en ik denk niet dat zij er veel plezier van hebben gehad.'

Hij viel plotseling geïrriteerd uit: 'We zullen je uit de markt stoten, Veum... in tijd van een jaar! Eerder nog...'

Ik hief mijn handen op. 'Zoals je wilt. Je kunt het proberen. Het is trouwens niet gezegd dat we elkaar in de weg lopen. Deze stad is groot genoeg voor meer detectives dan voor mij alleen.' Hoopte ik. Maar de knoop in mijn maag zat er nog net zo stevig en hard. Hij werd niet meer losser.

'Nou ja,' zei hij met een afsluitend gebaar, 'we hoeven het

niet hier en nu te beslissen.' Hij stond op. 'Ik geef je veertien dagen, Veum.' Hij keek op zijn horloge. Elektronisch, natuurlijk, met ingebouwde respirator en andere snufjes. 'Denk er goed over na... en bel ons. Ik zal het contract klaarleggen. Zo niet...' Hij haalde zijn schouders op, greep met zijn ene hand de poplin jas, met de andere zijn aktetas en liep naar de deur.

Ik stond op van achter mijn bureau.

'Tot ziens, Veum,' zei hij, 'ik moet het vliegtuig van drie uur halen.'

'Goede reis', zei ik.

Hij knikte kort, draaide zich om – en was weg.

Ik keek hem na. Na een poosje liet ik me in mijn stoel zakken, draaide rond en staarde uit het raam, zonder iets te zien.

Zo bleef ik zitten tot de telefoon plotseling ging.

Haar stem klonk laag en licht en warm. 'Hallo... hoe gaat het? Heb je het druk?'

Ik liet mijn blik over het zo goed als lege tafelblad dwalen. Had ik het druk? 'Ik moet naar Stavanger', zei ik. 'Morgen. En jij?'

'Ik... Ben je vanavond thuis?' vroeg ze, met een ingehouden vraagteken aan het einde.

Ik glimlachte tegen de hoorn. Ik hoopte dat ze dat aan mijn stem kon horen. 'Ik ben altijd thuis als jij dat vraagt, liefje...'

'Hij... hij is vandaag naar Tromsø gegaan. Hij moet examens afnemen. Ik kan een oppas regelen.'

Het plotselinge, prettige verlangen in mijn lichaam, mijn hart dat sneller begon te kloppen. 'Kom maar, ik ben thuis.'

Ik sloot mijn ogen, zag haar glimlach voor me, haar ogen, haar haar...

'Mooi', zei ze. 'Dan kom ik... zo om een uur of acht, halfnegen, is dat goed?'

'Dat duurt me nog veel te lang', zei ik vrolijk.

Ze lachte. 'Ik moet ophangen... tot vanavond.'

'Dag.'

We hingen nooit meteen op, maar wachtten allebei of de ander nog iets zou zeggen.

Maar we zeiden niets meer, deze keer. Ik legde de hoorn voorzichtig terug op de haak. Ik merkte dat ik nog steeds glimlachte, en de knoop in mijn maag was losgegaan.

3

Als het donker wordt, komen de clowns tevoorschijn. Wanneer de mensen zich voor hun televisie hebben geïnstalleerd, komen de clowns tevoorschijn uit hun schuilplaatsen, lopen met lichte tred door de steeg, snel de stenen trap van je huis op, de buitendeur door en de trap op naar de eerste verdieping. Er wordt aangebeld en als je opendoet, staat er een clown op de drempel, en ze werpt zich in je armen en jullie kussen elkaar.

We kusten elkaar, lang, alsof we elkaar een eeuwigheid niet hadden gezien. Haar tengere lichaam drukte zich vertrouwd tegen me aan en ik streelde haar haar, vond met mijn handen haar wangen, boog haar hoofd naar achteren, en omhoog, hield het vast, keek haar lange tijd in haar donkere, glinsterende ogen... en kuste haar voorzichtig op haar zachte lippen, lang.

Alles wat we deden, gebeurde in een soort betoverde harmonie. Zelfs de meest gewone dingen, zoals naar de keuken gaan en bij het aanrecht wachten tot het theewater kookte, haar een kruidenpotje zien oppakken en haar het etiket zien lezen, naar haar toe gaan en haar in mijn armen nemen en een onstuitbare lach in mijn borst voelen opborrelen.

'Fijn om bij je te zijn', zei ze zacht. 'Zo *verkeerd*... dat het fijn is...' Haar gezicht kreeg een weemoedige uitdrukking, alsof ze dacht dat het niet lang kon duren, alsof iets fijns nooit lang kon duren.

We namen de theepot, de kopjes en de verse broodjes met ei en tomaat mee naar de kamer. Daar zaten we samen in de schemering, bij het zachte geknetter van de kachel, op de bank, tegen elkaar aan, met onze handen om onze kopjes, of de kopjes op de tafel en onze armen om elkaar, onze vingers samengevlochten, een lichte kus op een wang, een snelle tongpunt in een oor, een zwakke zucht...

Ik had nergens anders oog voor dan voor haar. We hadden niet veel avonden samen, zoals nu, en ik moest aldoor naar haar kijken, opdat ik haar beeld zou kunnen vasthouden, in mijn hart, tot de volgende keer.

De kloppende ader aan de zijkant van haar dunne hals, de naakte huid in het kuiltje in haar hals, een haar tegen haar wang, de zachte lippen, bijna roze, zacht, nog vochtig van de warme thee... De eerste, voorzichtige kussen.

Later kwamen de heftigere kussen, de lange, ademloze kussen die ons als duizelige kometen door de ruimte lieten zweven.

Zoekende handen, die knopen vinden, ritsen openen, kleren die uitgeschopt worden, bloed dat klopt, klopt, tot we naakt en wit en dansend tegen elkaar aan liggen. Tot we als meeuwen in de wind tegen elkaar steigeren, en ze haar vleugels onder me uitspreidt, als een golf in de branding tegen me opklimt, me aan mijn haar trekt en haar nagels in mijn rug zet, mijn naam in mijn oren zingt en haar hoofd heen en weer zwaait, als in... extase...

Niet omdat ik zo bijzonder goed ben in bed. Maar omdat ze van me houdt. Zegt ze.

En daarna blijven we liggen en leren elkaar nog beter kennen, vinden nieuwe plooien, ruiken nieuwe geuren, en haar geslacht is een vlinder met lichtbruine vleugels, vleugels zo zacht als kroonbladeren, rozenbladeren... Haar huid is zo wit, en warm, en zacht. En haar tepels zijn rood en hard, zelfs erna, alsof ze vervuld is van eeuwige vorst – of verlangen.

Ten slotte moet ze gaan, want clowns kunnen niet blijven, niet de hele nacht. Als we ons aankleden zijn onze gezichten bedrukt, maar de vreugde gloeit nog in onze ogen: we hebben veel tijd nodig om ons aan te kleden en de laatste kussen zijn net zo lang als de eerste.

'Pas goed op jezelf... in Stavanger', fluisterde ze.

Ik knikte zwijgend en verborg mijn gezicht in haar haar. 'Ik bel je.'

Ze streelde even mijn gezicht, draalde bij mijn mond en de raspende baardstoppels, ging op haar tenen staan en kuste me licht op mijn mond.

Ik zei in haar haar: 'Ik hou van je, Solveig.'

'Mmmmm', antwoordde ze glimlachend, met een weemoedige blik in haar ogen.

We gingen naar buiten en ik bracht haar door het novemberdonker naar huis. We liepen naast elkaar, zonder iets te zeggen. Ze gaf me een arm, huiverde in het donker. Op de hoek tussen Nye Sandviksvei en Skuteviksvei gaf ze me snel een zoen op mijn wang en liep het steile steegje af. Ik wachtte tot ze binnen was.

Toen ik thuiskwam, hing haar geur nog in de kamer en aan mijn vingers. Ik bleef lange tijd op de bank zitten, met mijn ellebogen op mijn knieën en mijn handen voor mijn mond en mijn neus, niet in staat aan iets anders te denken dan aan haar en aan wat er net was gebeurd.

Toen ik opstond om mijn koffer te pakken was de kachel uitgegaan. Ik zou de volgende ochtend al vroeg weg moeten, maar voor ik uiteindelijk insliep, lag ik nog lang wakker in het donker.

Want dat is het lot van clowns: alleen zijn, in het donker, 's nachts – alleen naar bed gaan, wakker liggen, dromen. Terwijl de mensen al slapen.

4

November is een troosteloze maand. De herfststormen rukken de laatste bladeren van de bomen en de overblijfselen van de zomer liggen bruin en rottend op de stoep en op de weg. De wolken drijven zwaar en laag over de stad en door de sterke wind valt de regen bijna horizontaal. Dan doet de vorst zijn intrede: hij bijt met witte tanden in het gras, trekt nieuw, dun ijs over de plassen. Zelfs midden op de dag heeft de lucht slechts een bleke kleur. De zon geeft geen warmte meer en de nachten zijn lang en zwart.

Maar ook november kan zijn bijzondere schoonheid hebben, als de lucht in het noorden ineens als groen, helder ijs weerschijnt en de zonsondergang in het westen nog een smeulende gloed laat zien, of als 's morgens de eerste gouden zonnestralen schuin tussen de rode daken door op de fletse mensengezichten vallen.

De zon was nog niet op toen ik op weg ging naar de snelboot naar Stavanger. Er was bijna niemand buiten. Onverstoorbare handwerkslieden die op weg waren naar de bouwplaats. Een jong echtpaar dat een kind naar de oppasmoeder bracht. De markt was verlaten en alle ramen van het gebouw waarin ik mijn kantoor had, waren donker. De wind die door de doodstille, smalle straat werd gestuwd, kwam uit het noorden en beloofde vorst. De lege straten waren glad. Ik zette de kraag van mijn jas op en liep voorovergebogen verder.

Tussen Bergen en Leirvik was er slechts één andere passagier aan boord. Een man van middelbare leeftijd met twee koffers, die eruitzag als een handelsreiziger die het leven beu was, nam helemaal voorin in de passagiersruimte plaats. Ik ging helemaal achterin zitten, aan de andere kant van de boot, zoals Noren gewoonlijk doen.

Binnen rook het sterk naar koffie en de serveerster had de slaap nog niet uit haar ogen kunnen wrijven. Haar rok was gekreukt, alsof ze erin geslapen had. Haar haar hing slap omlaag en haar neus was rood. Toen ze me een kartonnen bekertje met koffie gaf, glimlachte ze vermoeid. Ik glimlachte dankbaar terug, terwijl ik mijn vingers om de beker vouwde.

De boot verhief zich op stalen vleugels en de reis naar het zuiden begon. In het donkere raam zag ik alleen de weerspiegeling van mijn eigen gezicht, doorboord door enkele verspreide lichtpunten. Ik dacht aan Solveig.

De herinneringen aan de andere vrouwen waren nu verbleekt. Hun namen doken steeds minder vaak in mijn gedachten op en hun gezichten bleven weg. Er was slechts één gezicht overgebleven en dat verving zelfs mijn eigen gezicht in de donkere ruit.

De boot beukte over de golven op het open stuk voor het eiland Stord. De dageraad drong de contouren in het landschap terug. De lucht was grijs en de wolken stapelden zich langzaam op boven de hoge bergen. Langs de kust zou het regenen.

In Leirvik kwamen er meer passagiers aan boord. Een aantal ervan ging in Haugesund aan land, maar op het laatste stuk was de boot bijna helemaal vol. Het was kwart over tien en de passagiers waren zakenlui die met strakke gezichten boven hun aktetassen gedempt met elkaar spraken, moeders met veel kinderen en nog meer bagage, een schoolklas met een nerveuze leraar met groene regenlaarzen en regenjack, een paar vrouwen van middelbare leeftijd met rode, praatgrage gezichten en ogen die nooit rust hadden. Samen werden we naar het open water van de Boknfjord getrokken, waar de krachtige golven ons op hun schouders namen en ons heen en weer smeten. De toppen van de golven snauwden ons wit toe en ik klampte me vast aan mijn zitting, met een geforceerde glimlach rond mijn mond, alsof ik deze reis iedere ochtend maakte om wat beweging te krijgen.

In de luwte van Randaberg werd de zee plotseling kalmer en konden we onze magen weer op hun plaats duwen, naar onderen waar ze hoorden, in plaats van bovenin waar ze zich bevonden. De meeste passagiers haalden opgelucht adem, als na een langdurige begrafenis.

De boot gleed op snelle dragers de Byfjord in, terwijl Stavanger opdook, met het karakteristieke lage stadsprofiel rechts en de hoog oprijzende bruggen links. Aan de ene kant van de boot rezen de Rosenberg Werf en het halfvoltooide productieplatform Statfjord-B op, aan de andere zijde lagen de oude pakhuizen met hun spitse daken direct aan het water. Toen ik op het dek kwam, sloeg er een lichte regen in mijn gezicht en ik pakte mijn regenhoed uit mijn jaszak.

We legden aan en ik liep snel de loopplank af. Ik volgde de Skagenkai naar het marktplein en langzaam drong tot me door hoezeer Stavanger was veranderd, sinds mijn verblijf aan de sociale academie eind jaren zestig. Toen was Stavanger nog een sluimerend stadje geweest. Het weinige vertier dat er was, kwam door de marinebasis op Madla. De stad werd destijds meer gekenmerkt door gebedshuizen dan door restaurants, en de bebouwing was ouderwets en piëtistisch, fraai en pittoresk, zoals in de meeste kleinere

Noorse steden tussen Hammerfest in het noorden en Fredrikstad in het zuidoosten. Nu was er op bijna iedere straathoek wel een of andere exotische eetgelegenheid, in zeker de helft van de pakhuizen was het interieur vervangen ten gunste van discotheken, restaurants en boetieks. Tussen de verschrikte lage houten bebouwing staken modernistische betonnen gebouwen met Los-Angelesgevels omhoog. Op straat hoorde je net zo vaak een vreemde taal als Stavangers. Er heerste een Babylonische spraakverwarring en Bergen was hierbij vergeleken maar een provinciaal gat.

Ook mijn hotel bleek zo'n moderne betonnen kolos te zijn.

Op de begane grond bevonden zich – behalve de receptie – een exclusief restaurant, een danszaal en een bar met een interieur dat iets weg had van een Franse nikkelwinkel. In de receptie stond een vriendelijke vrouw in een keurig roestbruin jasje en een zwarte rok. Ze had vermoeide groeven in haar gezicht en wallen onder haar ogen en ze sprak me aan in het Engels, tot ik haar ervan kon overtuigen dat ik toch echt Noors sprak. Ze vond mijn naam op de lijst met reserveringen, kruiste een kamernummer aan en gaf me de sleutel. 'Derde verdieping', zei ze, met de raspende keel-r die zo typerend is voor dit district. 'De lift is daarginds.'

Ik bedankte haar en nam de lift naar boven. Voor de deur van mijn kamer troonde een gigantische broodjesautomaat, blinkend als een speelautomaat uit Las Vegas. Achter de lichtgekleurde ruitjes lokten verleidelijke, in plastic verpakte broodjes met al hun calorieën. Ik weerstond de verleiding en maakte mijn kamerdeur open.

Het was een moderne, functionele hotelkamer, lang en smal, met douche en toilet links en garderobekasten rechts. Ik liep de kamer door en trok de gordijnen open. Ik keek uit op een oude, verweerde muur met een half vervaagde reclameschildering. Herenconfectie uit het begin van de jaren vijftig. Ik begreep waarom de gordijnen dicht waren.

Ik maakte mijn koffer open, hing wat kleren in de kast en liet de kamer zo goed als ongebruikt achter. Bij de receptie kocht ik een plattegrond van de stad en met behulp van het register vond ik de straat waar Arne Samuelsen woonde. Ik vouwde de kaart op en stak hem in mijn binnenzak. Bij het verlaten van het hotel wierp ik een blik in de bar. De barkeeper zat achter de toog met de gezichtsuitdrukking van een wassen pop. Links van de bar gooiden twee jongens pijltjes naar een dartsbord. Sommige ervan haalden de muur niet eens. Het geluid van de lichte pijltjes die op de vloer vielen, volgde me door de deur naar buiten.

5

Het smalle houten huis lag aan een steil achterafstraatje dat afliep naar de haven. In het oosten verrees de Bybrug. De peilers leken een rij A's, alsof de hele brug één gigantische verkiezingsbelofte van de Arbeiderspartij was. Over de huizen aan de andere kant van de straat heen keek je neer op de bebouwing langs het water, waar de meeuwen tegen een grauwwitte lucht omhoogvlogen en daalden. Het rook er ziltig en de gevel van het witte huis was door de vochtigheid grijsgroen gemarmerd. Het huis moest veel te lijden hebben van de noordenwind.

De groene buitendeur was scheef en hing zwaar in zijn hengsels toen ik hem opendeed en de donkere gang inliep. Ik zocht naar een lichtschakelaar, vond er een en draaide hem om, zonder resultaat.

De brievenbussen links waren van het ouderwetse type met luchtgaatjes onderin, zodat je het deurtje niet hoefde te openen om te zien of er iets in zat. Op een van de brievenbussen stond de naam Arne Samuelsen. Op een andere T. Eliassen.

T. Eliassen woonde beneden, achter een deur rechts van de smalle trap die naar boven voerde. Door een smal deurraampje viel wat licht. Ik liep erheen en belde aan.

De deur ging direct open, alsof de vrouw binnen had staan wachten. 'Ja?' zei ze voor ik mijn mond kon opendoen. 'Wat komt u doen?'

Ze was tamelijk klein, eind vijftig en droeg een jasschort met grote bloemen. Ze had een aardig figuur, maar de grote bloemen konden niet verhullen dat haar boezem toebehoorde aan een vrouw van heel andere proporties. Haar gezicht werd gedomineerd door haar ogen. Die waren donker, priemend en nieuwsgierig. Met een snelle blik had ze me waarschijnlijk direct én in een categorie ingedeeld én voor later gebruik gearchiveerd. Haar kleine mond bewoog bijna onmerkbaar, alsof ze de tekst van mijn beschrijving repeteerde, en de wonderlijke beweeglijkheid die ze daarbij uitstraalde deed me denken aan een knaagdiertje. Haar donkerblonde haar was opgestoken in een knotje. De huid van haar gezicht was vaal en droog en toen ze snel even in haar onderlip beet, zag ik dat haar tanden dezelfde geelwitte tint hadden.

'Mevrouw Eliassen?' vroeg ik voorzichtig.

Ze knikte kort.

'Mijn naam is Veum. Ik kom uit Bergen. Ik kom vanwege Arne Samuelsen.'

'Heeft u de huur meegenomen?' snauwde ze. 'Hij is nog steeds niet komen opdagen en hij is al een aantal dagen te...'

'Dat wordt geregeld', zei ik beleefd. 'Maar als ik even een kijkje mag nemen in...'

'Bent u van de politie? Wordt hij gezocht?'

'Welnee. Ik ben... een vriend van de familie. Ik moest toch naar Stavanger en zijn moeder vroeg me even langs te gaan om te zien of ik uit kan vinden waar hij is. Ze maakt zich zorgen, zoals u misschien begrijpt.'

'Ja, zorgen. Maar ik maak me zorgen over mijn huur!' Ze rinkelde met een sleutelbos die ze in een van haar schortzakken had en nam me taxerend op, alsof ze de inhoud van mijn portemonnee schatte.

'Als ik even in zijn appartement mag kijken, dan...'

'Ja, maar ik ga mee', zei ze beslist. 'Niet om het een of ander... ik ben al wezen kijken. Ja, zijn moeder vroeg me dat aan de telefoon... maar er is niets. Je zou bijna denken dat er niemand woont!' Ze wierp even een blik in haar woning. Toen deed ze de deur achter zich op slot en voelde of die goed dicht zat. 'Het is boven', zei ze en liep de trap op.

'Hij is hier toch alleen als hij niet aan het werk is?'

'Jazeker. Dat heb ik het liefst, dan heb je niet zoveel gedoe met de huurders. Ze betalen de huur, maar ze zijn er bijna nooit. En als ze last veroorzaken, dan vliegen ze eruit. Ik wil hier geen gedonder hebben.' Ze raakte buiten adem, maar het was moeilijk te zeggen of dat door de trap kwam of door haar spraakwaterval.

'Dus Samuelsen was geen lastige klant?'

'Nee.' Ze aarzelde een beetje. 'Niet tot... Hij is altijd aardig en beleefd geweest, nooit lastig. Hij was meestal alleen en 's avonds was hij vaak weg. Kwam altijd alleen thuis, tot...'

'Tot...'

Ze bleef op de overloop staan en haalde de sleutels uit haar zak. Ze zocht de juiste sleutel, stak hem in het slot en draaide hem om. Ze bleef in de deuropening staan. 'Tot een paar dagen geleden. Maar toen was het ook ineens een hels kabaal, tot diep in de nacht. Dus nu is het afgelopen. Ik ben de volgende dag meteen naar boven gegaan om het hem te vertellen. Maar hij deed niet open. Ik dacht dat hij zich schaamde en toen heb ik de deur in de gaten gehouden. Ik hoor het altijd als er iemand op de trap is. Maar hij... ik denk dat hij 's nachts weg is gegaan, diezelfde nacht, het was een drukte vanjewelste en ik heb niet alles kunnen volgen. Want daarna... ja, verder is hij hier niet meer geweest. En dat maakt me ook niet uit, want hij kan vertrekken, maar eerst moet hij... de huur.' Ze keek me aan, met strenge mond en een vastbesloten blik.

'Daar zal ik voor zorgen', zei ik en greep naar mijn binnenzak alsof ik geld tevoorschijn wilde halen, zonder de handeling af te maken. Een truc die ik geleerd had van enkele van mijn cliënten en die effectief was gebleken. Voor hen.

'Ja, ja', zei mevrouw Eliassen, ze deed de deur wijd open en ging me voor het appartement binnen.

We kwamen direct in de woonkamer. Die leek op de mijne. Twee smalle ramen keken uit op het smalle straatje en een klein erkerraampje aan de zijkant bood zicht op het buurhuis, dat op anderhalve meter afstand stond: een grijsgroene houten muur zonder ramen.

'Ja, het is niet groot, maar het is toch prima voor iemand... alleen', zei mevrouw Eliassen snel, alsof ze me het appartement aanbood.

De meubels stelden ook niet veel voor: een lage tafel, vier stoelen, een bultige divan, een kleurentelevisie, een aftandse commode en een hangkast. De enige plaat aan de wand was van een booreiland, vastgeprikt met drie punaises, waardoor de linkerbenedenhoek omkrulde. De tekening toonde in doorsnee hoe een booreiland er vanbinnen uitziet. De tekst was in het Engels.

De kamer was ongewoon netjes. Het was alsof alle persoonlijke eigendommen verwijderd waren. Er lag geen krant onder de tafel, nergens was een kledingstuk te zien.

Door een halfopen deur konden we de keuken zien. De koelkast bromde zachtjes. Ik stak mijn hoofd naar binnen en keek rond. Een lege limonadefles op het aanrecht, een luciferdoosje en een keukendoekje. In het raamkozijn lag een oude, vergeelde krant die blijkbaar als wig werd gebruikt als het raam openstond.

'De slaapkamer is daar binnen', zei mevrouw Eliassen achter me.

We liepen door de keuken naar een deur aan de rechter-kant. De slaapkamer had het formaat van een ouderwetse voorraadkast en werd geheel gevuld door het eenvoudige, smalle bed dat erin stond. Naast het bed stond een nacht-kastje. De lade van het nachtkastje stond een stukje open. Ik keek erin en vond een postcodeboek, een brochure van een verzekeringsmaatschappij en een westernboekje.

Het bed was opgemaakt, de lakens leken schoon. 'Ik doe het beddengoed', lichtte mevrouw Eliassen behulpzaam in. 'Dat willen ze graag, en dan betalen ze liever wat meer. Vrij-gezellen.'

'Heeft u misschien het bed verschoond... nadat...'

Ze knikte. 'Natuurlijk, als iemand zou komen kijken... dan...' Ze kreeg een bijna schuldbewuste uitdrukking op haar gezicht. 'Maar... er was niets... ongewoons. Het was zelfs bijna niet vies. Hij was tenslotte pas één dag thuis en hij...' Ze maakte haar zin niet af.

Ik keek nog eens om me heen. Toen gingen we terug naar de keuken. 'Was het hier echt zo netjes?' vroeg ik.

Ze liep door naar de kamer. 'Ja. Ik heb verder niets aange-raakt. Zo was hij. Kijk maar.' Ze liep naar de commode en trok de bovenste la open. Overhemden en T-shirts lagen in keurige stapels. Ze deed de volgende la open. Ondergoed en sokken. Ze liep naar de hangkast en deed die open. Kos-tuums, jasjes en broeken hingen netjes op hun hangertjes. Een paar laarzen en wat schoenen stonden ordelijk onder in de kast.

'Hij is blijkbaar niet voorgoed vertrokken', zei ik.

'Nee', zei ze koel. 'Nog niet.' Ze zoog met een fluitend ge-luid lucht tussen haar tanden door.

We stonden tegenover elkaar, ongeveer in het midden van de kamer. Ze was zeker een kop kleiner dan ik. 'Vertelt u eens wat er gebeurd is', zei ik.

Ze knikte even. 'Het ligt niet in mijn aard om te klagen', zei ze.

Ik glimlachte begrijpend. 'Natuurlijk niet.'

'En hij heeft zich tot nu toe altijd keurig gedragen, maar... ik moet toch rekening houden met de buren.'

'Wonen er nog meer mensen hier in huis?'

'Nee. De laatste jaren niet. Ik ben pas gaan verhuren toen mijn man is overleden, toen werd het... krapper met het geld. Ik moest nemen wat ik kon krijgen en ik kon makkelijk van boven naar beneden verhuizen.' Ze keek het kamertje rond. 'Konrad en ik, dit hier was onze slaapkamer.'

'Juist, ja', zei ik, geïnteresseerd klinkend. 'Hoe lang verhuurt u al?'

'Sinds Konrad... sinds 1975. Eerst aan studenten, maar de laatste jaren heb ik alleen oliemensen gehad. Er is veel veranderd in Stavanger.'

'Ja, dat heb ik gezien. Ik heb hier zelf ook gestudeerd.'

'O ja?'

'Aan de sociale academie.'

'O ja.' Het scheen niet voor me te pleiten.

'Misschien moeten we even gaan zitten?' stelde ik voor.

'We kunnen wel blijven staan', antwoordde ze. 'Het neemt niet zoveel tijd. Zoals gezegd... hij gedroeg zich perfect, tot die avond...'

'Wanneer was dat eigenlijk?'

'Dat was... zes dagen geleden. Hij was de avond tevoren teruggekomen en toen was hij me gedag komen zeggen, zodat ik wist dat hij het was, als ik geluiden hoorde... boven. Ik zag hem trouwens altijd, uit mijn keukenraam. Die avond was hij heel rustig, ik hoorde dat hij iets te eten maakte, dat hij de tv aanzette, dat hij hem later weer uitdeed en uiteindelijk... dat hij naar bed ging. Niet dat het hier zo gehorig is, maar verder is het huis altijd leeg en wan-

39

neer er dan ineens leven boven je is, ja, dan hoor je dat, niet-waar?'

'Dat is normaal', antwoordde ik.

'Nou', zei ze. Ze liep naar een stoel en ging toch zitten. 'De avond erop ging hij weg, zo rond halfacht en toen hij terugkwam, na twaalven, ja, bijna halfeen, toen was hij niet alleen.' Dat laatste zei ze met een gezicht alsof het een doodzonde was.

Ik ging voorzichtig op de punt van een stoel zitten en zei beleefd: 'O nee? Had hij... veel mensen meegenomen?'

'Nou, ik stond natuurlijk niet in de deuropening te tellen, maar...' Snel zei ze: 'Samuelsen zelf, drie andere mannen en twee... vrouwen.' Het laatste woord zei ze op een toon alsof een bijzonder soort ongedierte haar huis was binnengedrongen.

'Zes mensen dus?'

'Ja... zoiets.' Ze keek me aan met een misprijzende uitdrukking rond haar smalle lippen. 'En het waren niet bepaald dames, kan ik u zeggen!'

'O nee? Had hij wel vaker...'

'Nooit. Ik heb hem *nooit* met iemand samen gezien. Maar ze zeggen niet voor niets: de bal bedriegt en schijn kan vreemd rollen.' Na een korte pauze voegde ze eraan toe: 'Of zoiets.'

'Nee... precies. Betekent dat... betekent het dat u die... vrouwen kende?'

Met een ijzige stem antwoordde ze: 'Nee, *kennen* deed ik ze geen van beiden. Maar het was duidelijk van welk slag ze waren. En die ene... Ik zal u vertellen: de tijden zijn veranderd, hier in Stavanger, ten goede en ten kwade, en er zijn hier zoveel merkwaardige mensen en vrouwen naartoe gekomen... Maar die ene, die is van hier, die is hier vlakbij opgegroeid. Laura Losjes.'

'Losjes? Heet ze...'

'Nee, Ludvigsen, maar ze wordt altijd Losjes genoemd. Ze is een paar keer getrouwd geweest, maar nu is ze alweer drie of vier jaar gescheiden, dus tegenwoordig is ze...' Ze zocht naar het juiste woord.

'Freelance?'

'Nou, zoiets. Ik kan u vertellen... Maar dat moet een andere keer maar eens. Zij was er in ieder geval bij.'

'En die anderen? Kende u die ook?'

'Nee. Die kende ik niet. Behalve dat andere mens zaten ze denk ik allemaal in de olie. Zo zagen ze eruit. Eentje had een cowboyhoed op.'

'Een cowboyhoed?'

'Ja. Dat is tegenwoordig vrij normaal in Stavanger hoor. 'k Ben benieuwd wat het volgende is, waarschijnlijk de hottentotten.'

'Weet u toevallig waar ik die... Laura Losjes kan vinden?'

'Nee, dat kan ik u echt niet vertellen!' snoof ze. 'Dat moet u zelf maar uitzoeken. Maar voor wie kwam u eigenlijk, voor Arne Samuelsen of voor Laura Losjes?'

'Samuelsen', zei ik mak.

'Juist. En toen werd het die nacht dus een verschrikkelijke herrie.' Het was duidelijk dat ze er graag over vertelde.

'Zo?'

'Ja. Een enorm kabaal. Rammelende flessen en luid gelach en ze maakten lawaai en stampten op de vloer, het was echt een verschrikkelijke herrie. Ik heb de hele nacht geen oog dichtgedaan. En uiteindelijk... ik geloof dat ze begonnen te vechten, want er vielen stoelen om, en ze schreeuwden en gilden en toen viel er iemand met een dreun op de grond. En toen werd het stil. En even later hoorde ik ze de trap af stommelen, de meesten in elk geval.'

'Wie? Hoeveel?'

'Geen idee. Ik was naar bed gegaan, met het dekbed over m'n hoofd. Ik durfde m'n neus er amper onderuit te steken. Maar ik hoorde dat er een paar achter waren gebleven, want die hebben daarna nog zeker een uur heen en weer gelopen. Toen zijn die ook weggegaan. Ik... ik ben naar het raam gelopen.'

'Ja? Zag u wie het waren?'

Ze schudde beschaamd haar hoofd. 'Nee. Het was te laat. En het was donker. Het was... al bijna zes uur in de ochtend. Maar het waren er in ieder geval twee. Twee of drie.'

'Maar luister eens... toen ze zo'n lawaai maakten, heeft u toen niet overwogen om naar boven te gaan en er wat van te zeggen?'

'Er wat van te zeggen? Bent u wel goed bij uw hoofd? Weet u wat er met een andere hospita is gebeurd... het heeft zelfs in de krant gestaan... het is soms zulk tuig... Ze ging naar boven om over het lawaai te klagen. Het waren buitenlanders, natuurlijk. Ze hebben haar naar binnen gesleurd en... allemaal hebben ze... ook al was ze een oudere dame... Later zijn ze natuurlijk veroordeeld, maar wat denkt u dat de mensen over *haar* zeggen, achter haar rug, hier in *deze* stad? O nee, ik ben mooi onder mijn dekbed blijven liggen.'

'Maar de politie dan, u had de politie toch kunnen bellen?'

'De politie!' snoof ze. 'Die komen pas als je vermoord bent, en dan is het te laat. Voor mij, bedoel ik.'

'Ja, dat klinkt logisch.'

We keken elkaar een ogenblik aan. 'Tja.' Ze maakte een berustend gebaar. 'Zo gaat het in Stavanger. Maar nu vliegt hij er sowieso uit, of hij wil of niet.'

'Maar dan zullen we hem eerst moeten vinden.'

'Ja... dat is uw probleem, nietwaar?' zei ze monter.

'Wanneer bent u hier naar binnen gegaan?'

Ze keek me onthutst aan. 'Pas toen zijn moeder belde en

me daar om vroeg. Het zou niet in mijn hoofd opkomen om...'

'Maar hoorde u dan niet dat hij niet thuis was? Of tenminste dat hij niet... bewoog. Hij had wel ziek kunnen zijn, of er kon hem iets zijn overkomen.'

'Ik dacht... Nou ja, de eerste dag, de dag erna, toen was ik zo boos dat ik niet eens rustig kon luisteren of hij er was. Ik heb wat kalmeringspillen van de dokter, voor mijn bloeddruk weet u, en daar heb ik er een paar van geslikt. En toen ben ik gaan liggen, op de bank in de kamer, voor het geval er iemand zou komen, met een koude doek over mijn hoofd en mijn hand in een bak lauw water met zout. Dat helpt, zeggen ze.'

'Juist.'

'En toen zijn moeder de volgende dag belde, heb ik gezegd dat ik hem al een paar dagen niet had gezien. Ik had het hart niet haar te vertellen over... al dat lawaai.'

'En toen heeft zij u gevraagd hier naar binnen te gaan?'

'Ja.'

'En wat trof u hier toen aan?'

'Wat ik aantrof? Niets! Dat ziet u toch zelf!'

'Dus ondanks al het gefeest en lawaai dat u 's nachts had gehoord, was het toen u hier kwam, net zo keurig en opgeruimd als nu?'

'Ja, eerlijk waar. Ik ben alleen aan het beddengoed geweest. Ik weet niet waarom, maar ik denk dat ik dacht... die twee vrouwen. Ik heb de lakens niet eens zelf gewassen. Ik heb ze naar de wasserij gebracht.'

'Geen glazen, geen lege flessen?'

'Nee. Niets. Nog geen sigarettenpeuk in de asbak.'

'Dus met andere woorden: de gasten hadden de boel opgeruimd?'

'Ja. Vindt u dat vreemd?'

'Ja. Juist *dat* vind ik zeer... verdacht.'

'Verdacht?' zei ze peinzend.

'Ja, of merkwaardig dan', zei ik snel.

Ik haalde het fotootje van Arne Samuelsen tevoorschijn en liet het haar zien. 'Om er geen misverstand over te laten bestaan... we hebben het toch over deze man, nietwaar?'

Ze keek nieuwsgierig naar de foto, draaide hem om, om te zien of er nog interessante informatie op de achterkant stond. 'Ja. Dat is hem. Sprekend', zei ze kort.

'Goed.' Ik stond op. 'Dan zal ik u niet langer ophouden. Op dit moment tenminste. Als ik nog eens wil rondkijken, dan...'

'Zou dat nodig zijn?'

'Ik zou zijn spullen kunnen doorzoeken om te zien of ik een adres kan vinden, ergens waar hij kan zijn...'

'Maar...'

'Dan neem ik meteen de huur mee, goed?'

'Maar u zei dat...'

'Ik moet eerst met zijn moeder overleggen. Voor de goede orde.'

'U kunt mijn telefoon beneden wel gebruiken.'

'Ik moet in ieder geval eerst naar de bank. Om welk bedrag gaat het?'

Haar blik dwaalde door de kamer. 'Twaalfhonderd kronen maar. Dat is goedkoop, hoor.'

Ik zei: 'In Stavanger, vandaag de dag? Dat geloof ik best.'

We hadden elkaar niets meer te zeggen. Ze liep als een schaduw achter me aan naar beneden. 'Dus u komt terug?' vroeg ze toen ik wegging.

Ik knikte bevestigend. Alleen als het echt nodig is, zei ik zacht tegen mezelf en stapte de straat op. De kinderkopjes onder mijn voeten waren rond en glad en de zee rook sterk en bedorven, zoals vaak op regenachtige dagen in november. De schaduw van de Bybrug viel donker en onheilspellend over de daken, alsof er storm op komst was.

44

6

Ik liep weer naar het centrum. Vanuit een telefooncel belde ik de oliemaatschappij waar Arne werkte. Na diverse telefonistes te zijn gepasseerd, belandde ik op de afdeling personeelszaken, waar een vrouwenstem zich kortaf presenteerde als mevrouw Anderson, met de klemtoon op de laatste lettergreep. Ze vroeg wat ik wenste.

'Ik probeer iemand te pakken te krijgen die bij u werkt, Arne Samuelsen uit Bergen, en ik vroeg me af of jullie misschien iets weten over...'

'Sorry, maar dat soort inlichtingen geven we niet zonder meer.'

'Ik ben hier namens de familie en...'

'In ieder geval niet via de telefoon.'

'Ik kan wel even langskomen, als...'

Ze zei snel, als een geroutineerde tandartsassistente: 'Kunt u hier om tien over halftwee zijn?'

Ik zei dat dat kon.

'Goed. Dan heb ik tien minuten voor u. We zullen zien wat we kunnen doen.'

Ik bedankte, maar ze had al opgehangen. Buiten daalden de eerste vlokken natte sneeuw langzaam neer op de stad. Op de groentemarkt stond de schrijver Alexander Kielland met levenloze ogen naar de haven te staren. Een meeuw zeilde laag over zijn hoge hoed, zonder te landen. Het aanbod aan groenten op de markt was beperkt.

Het telefoonboek en de stadsplattegrond vertelden me dat het kantoor van de oliemaatschappij zo ver buiten het centrum lag, dat ik besloot een taxi te nemen. De chauffeur, een gedrongen man van weinig woorden, kromde zich als het ware over zijn stuur, alsof hij iets voor me wilde verbergen.

De Amerikaanse oliemaatschappij had midden op een veld, een paar kilometer ten zuidwesten van de stad, plaatsgenomen. Het betonnen gebouw was vier verdiepingen hoog. De firmanaam lichtte rood op boven de gevel en was al van verre zichtbaar. Binnenin het gebouw waren plafonds en wanden afwisselend bekleed met beige en bordeauxrode metalen platen, afhankelijk van de etage waarop men zich bevond. Het contrast tussen de kleuren en het metalen oppervlak bezorgde me een sterk gevoel van sciencefiction.

Ik meldde me bij de receptie. De portier – een man van een jaar of veertig, die eruitzag alsof hij niet met zich liet spotten – controleerde via de telefoon of ik werkelijk werd verwacht. Toen verwees hij me beleefd naar een van de vier liften.

De lift was groot, snel en geluidloos. Door onzichtbare luidsprekers stroomde zachte, zoete Weense muziek als dunne thee de vierkante ruimte binnen. Een vleugje *An der schönen blauen Donau* en ik was boven.

Bij de deur van de lift was weer een balie, waar in dit geval een vrouw achter zat. Ze zag eruit alsof zij wel tegen een grapje kon, maar daar kreeg ik de tijd niet voor. Ze verwees me bits naar deur nummer drie aan de rechterkant en greep, voor ik haar had kunnen bedanken, de telefoon.

Ik klopte aan op de bordeauxrode deur met de letters DG erop en ging naar binnen. Na enig puzzelen kwam ik erachter dat het kamer G op de derde verdieping betekende.

Een man van tegen de dertig, in een grijs, nauwsluitend kostuum, gladgeschoren en met goedgekapt donker haar, kwam snel vanachter zijn bureau op me af, met een bordeauxrood afsprakenboek in zijn ene hand en een beige ballpoint in de andere. Aan de wanden hingen grote, dramatische tekeningen van boorplatforms in een woeste zee. Achter in de kamer was een deur waar de letters DH op stonden. De jongeman wierp een blik op mijn niet bepaald pas gepoetste schoenen en vroeg toen formeel: 'Veum?'

Ik knikte en hij keek op zijn elektronische horloge. 'Mevrouw Anderson kan u over vier en een halve minuut ontvangen. U kunt daar even plaatsnemen.'

Hij wees naar vier beige, leren stoelen die gegroepeerd waren rond een laag, ovaalvormig, plastic tafeltje dat vreemd genoeg zwart was. Zelf nam hij weer achter zijn bureau plaats, waar hij onbegrijpelijke dingen uitvoerde met een kleine zakcalculator en een computer.

Een grote, vierkante klok, vlak boven de deur naar de volgende kamer, wees met zes cijfers de tijd aan, waarbij de honderdste seconden wegstroomden als zand tussen je vingers. Het liet me op een onbehaaglijke manier beseffen hoe snel de tijd voorbijgaat, terwijl je op een heel andere plek zou moeten zijn en heel andere dingen zou moeten doen. Precies om 13.39.30 uur pakte de jongeman de hoorn van de haak, toetste twee cijfers in en sprak zacht in de hoorn. Hij legde neer en zei tegen me: 'U kunt naar binnen gaan.'

Ik ging naar binnen. Mevrouw Anderson zat met haar rug naar het vlakke landschap buiten, achter een groot bureau, met haar handen keurig naast elkaar op het schrijfblad. Aan haar ene hand droeg ze een grote, schitterende ring. De groene glans van de steen kleurde bij haar ogen. Alleen de dikke brillenglazen, die haar ogen groter deden lijken, konden wat onbeholpen overkomen. Overigens maakte ze de indruk zo efficiënt als een computer en zo gestroomlijnd als haar omgeving te zijn.

Ze stond op en gaf me een hand. Haar hand was smal, koel en verzorgd. Ze droeg een eenvoudige, vlaskleurige jurk die discreet en elegant de lijnen van haar lichaam volgde. Haar bril had een randloos montuur, met goudkleurige pootjes, en het bovenste deel van de glazen was lichtroze gekleurd. Er lag een rode glans over haar zwarte haar, dat in haar nek was opgestoken en boven haar oren strak naar achteren was getrokken. Haar gezicht werd gedomineerd door de bril. Ze had een rechte neus en een volle mond in dezelfde roze kleur als haar brillenglazen. Ik schatte haar een jaar of vijftig, maar goed geconserveerd.

We gingen zitten en ze kwam meteen ter zake. Ze plaatste haar ellebogen op de tafel, zette haar vingertoppen tegen elkaar en zei: 'U wenste... inlichtingen over een van onze werknemers?' Ze sprak vlekkeloos Noors, zonder accent.

'Wie vertegenwoordigt u en waar gaat het om?'

'Ik vertegenwoordig de familie, of beter gezegd zijn moeder. En het gaat er alleen maar om dat we hem niet kunnen vinden.'

Ze glimlachte minzaam. 'Geen ongewoon probleem voor onze afdeling. Gewoonlijk lost het zich vanzelf op. Hij duikt wel weer op.'

'Maar zijn moeder...'

'Onze ervaring is dat negenennegentig van de honderd mensen op tijd verschijnen als ze weer naar het platform moeten. Die ene van de honderd...' Ze haalde haar schouders op. 'Tja, met hem hebben we niets meer te maken, om het maar zo te zeggen.'

'Dus jullie maken je geen zorgen?'

'Nee', zei ze luchtig.

'Maar... misschien kunt u me wel wat inlichtingen geven?'

'Bent u slechts een vriend van de familie, Veum, of...' Ze keek me onderzoekend aan.

'Ik ben privédetective.'

Ze klakte even met haar tong. 'Zo, zo. Een van de weinigen. Die zijn er hier niet zoveel, hè?'

'Waar jij vandaan komt zijn er misschien meer?'

Ze zei koeltjes: 'Ik *ben* Noors, Veum. Ik heb weliswaar een paar jaar in de States gewoond en in onze branche... Tja, ik heb wel eens iemand van jouw soort ontmoet. Meestal niet erg innemend.'

'Nee, daar leven we ook niet van.'

Ze stond op. 'Maar om te laten zien welke service wij onze werknemers... en hun familie bieden... Onze veiligheidsafdeling gaat over de informatie waar u in geïnteresseerd zou kunnen zijn. Ik zal...' Ze toetste een nummer in op haar telefoon en sprak in de hoorn: 'Wil je Jonsson vragen even hier te komen, knul.' Ze spelde de naam voor me en voegde eraan toe: 'Hij is uitermate trots op zijn Noorse afkomst en hij wordt kwaad als je hem een gewone Johnson noemt.' Ze lachte voor het eerst echt, waarbij ze een schijnbaar gaaf, parelwit gebit toonde.

Vlak daarna ging de deur open en kwam er een man de kamer binnen.

Het was een forse man, in de vijftig, met een vitaal uiterlijk en kort, grijzend haar. Hij was zeker een meter tachtig lang en iets te massief rond zijn middel, zoals de meeste Amerikanen op den duur, doordat ze over het algemeen de auto verkiezen boven de benenwagen. Hij droeg een zwart met grijs geruit overhemd met open boord, een grijze broek met witte ruitjes en een loshangend, licht getailleerd, donkerbruin leren jasje. Hij had een breed gezicht en zowel zijn ogen als zijn neus leken zich open te sperren toen hij mevrouw Anderson begroette. Er verscheen even een wolfachtige grijns rond zijn krachtig gevormde mond waarin fikse gouden vullingen glommen. Hij ademde door zijn neus en zijn stem sloeg over toen hij zei: 'Je had naar me gevraagd, Vivi?'

Mevrouw Anderson haalde diep adem en zei: 'Ja. Deze meneer wil je graag spreken.'

Zijn blik bleef een fractie van een seconde op haar borsten rusten en zwaaide toen verder naar mij: 'Wel, hallo, vriend. Wat kan ik voor je doen?' Hij sprak goed Noors, maar met een duidelijk accent. Hij had een starre, harde blik en de glimp in zijn ogen kon zowel humor als minachting betekenen. Hij gaf me een stevige handdruk.

We schudden elkaar de hand. Hij bleef vlak voor me staan, iets te dichtbij naar mijn smaak. Ik rook de enigszins zure, maar niet direct onaangename geur van zijn lichaam en aangezien hij vijf of zes centimeter langer was dan ik, moest ik naar hem opkijken. Ik had het gevoel te solliciteren naar een baan waar ik weinig kans op maakte.

Ik deed een paar passen door de kamer, draaide me om en opende mijn mond. Maar mevrouw Anderson was me voor. 'Hij wil iets weten... over een van onze werknemers. Ene... Arne Samuelsen, was het niet?' Ze keek me vragend aan en ik knikte.

Jonsson keek me peinzend aan. 'Samuelsen?' Hij grijnsde en zei: 'Ik kan niet zeggen dat die naam een belletje doet rinkelen, maar mijn God, hoeveel duizenden werknemers hebben we wel niet?'

Het was een retorische vraag en niemand gaf antwoord. Hij ging door: 'Je moet maar even meekomen naar mijn kantoor, dan zullen we zien.'

'Bedankt voor de hulp dan maar, tot zover', zei ik tegen de vrouw achter het bureau.

Ze glimlachte koeltjes en zei: 'O, geen dank.' Maar terwijl ze dat zei, keek ze op de klok.

Jonsson zei: 'Als er nog iets is, Vivi... je belt maar...' Hun ogen ontmoetten elkaar in een directe, bijna uitdagende blik. Ik kon de stemming in de kamer niet goed uitleggen: was het erotiek... of machtsstrijd?

Toen we de deur door gingen, viste hij snel een sigaret uit een pakje in zijn jaszak, zette hem tussen zijn lippen en stak hem met een vergulde aansteker aan. Hij duwde de sigaret naar zijn mondhoek en hoestte diep. Toen we langs de jongeman in het grijze kostuum liepen, zei ik: 'Bedankt voor de hulp... knul.'

Hij keek afwezig op van zijn toetsenbord, alsof hij niet had gehoord wat ik zei. Jonsson grijnsde.

7

Ik volgde Jonsson de gang door. Onderweg vertelde hij me vanuit zijn mondhoek: 'Geloof me... ze gaat niets of niemand uit de weg. Heeft in Houston twee echtgenoten versleten, leeft gescheiden van de derde en heeft in de oliebranche carrière gemaakt als een man. Ze heeft een getemde tijger tussen haar benen... en wee je gebeente als ze die loslaat!'

'O ja?'

'*You bet!*' zei hij luid en gromde zelf bijna als een tijger. Hij deed de deur van zijn kantoor open en we gingen een kamer binnen met dezelfde kleurschakering als het kantoor van mevrouw Andersons assistent. De wanden hingen vol met gedetailleerde overzichtstekeningen van productieplatforms en booreilanden. Verschillende kleurcodes markeerden – naar ik aannam – de diverse veiligheidsgebieden. De enige poster aan de wand was een oude filmfoto van Ronald Reagan op een steigerend paard, zwaaiend met een cowboyhoed. De foto was gesigneerd.

Een klein mannetje keek op van zijn bureau toen we binnenkwamen. Hij hield een potlood in zijn hand en had een gedetailleerde ontwerpschets voor zich liggen. Toen hij zag dat Jonsson niet alleen was, draaide hij het grote vel papier om, met de onderkant naar boven. Hij zag er nerveus uit, had dun haar en lichte, dwalende ogen, zo licht dat ze bijna doorschijnend leken. Zijn dunne haar was donkerblond

52

en lag in lange, weerbarstige, warrige lokken over zijn roze schedel. Hij droeg een bruin corduroy pak, een geruit overhemd en een gebreid vest.

'Dit is mijn assistent', bulderde Jonsson. 'Nils... dit is...' Hij keek me aan. 'Hoe was de naam ook weer?'

'Veum. Varg Veum.'

Het mannetje stond op, liep om zijn bureau heen en stelde zich in een zangerige Zuid-Noorse tongval voor: 'Nils Vevang, veiligheidsconsulent.' We gaven elkaar een hand. Zijn handpalm was klam.

Jonsson zei: 'Mister Veum wil graag iets weten over een van onze werknemers. Ga zitten, Veum. Een moment.' Hij verdween door een deur achter in het kantoor en liet me alleen met de kleine Vevang. We keken elkaar aan.

Ik zei: 'Arne Samuelsen, kent u hem misschien?'

'Wat? Wie?'

'De man die ik zoek. Arne Samuelsen.'

'Nee, Samuelsen. Weet je wel hoe...'

'...veel duizenden werknemers jullie hebben? Nee. Maar ik kan me er iets bij voorstellen.'

Hij keerde me zijn rug toe en ging weer achter zijn bureau zitten. 'Jonsson haalt vast...'

Jonsson kwam weer binnen. Hij had een lichtbruine archiefmap in zijn hand. 'Ga zitten, Veum, ga zitten. Ik geloof niet dat hier veel bijzonders in staat, maar...'

Hij ging op een punt van Vevangs bureau zitten. Ik bleef staan, maar hij hield de map zo hoog dat ik onmogelijk in de papieren betreffende Arne Samuelsen kon kijken.

Jonsson had zijn sigaret in zijn ene mondhoek en praatte vaardig met de andere. Zonder op te kijken, bladerde hij onverschillig door de weinige documenten in de map. Hij zei: 'Dus jij bent een echte, Noorse privésnuffelaar? Een soort Sherlock Holmes? En, heb je de laatste tijd nog wat illegale stokerijen ontdekt? Wat samenzweringen achter de staldeuren aan het licht gebracht?' Hij knipoogde naar Vevang, die alles met opengesperde ogen volgde. 'Ik had niet gedacht dat er in *the old country* zoiets zou bestaan. Ik dacht dat het hier niet groot genoeg was, als het ware.'

'Het wordt steeds groter', zei ik.

'Zo?' Hij had het dossier doorgekeken. 'Ik kan niets vinden, Veum. Als hij redenen heeft om te verdwijnen, dan moet dat hierin staan. Hij ligt waarschijnlijk gewoon ergens met een vrouwtje te vozen. Kom maar naar de luchthaven als hij weer offshore moet, dan heb je hem.'

Ik keek reikhalzend naar zijn map. 'En je bent ervan overtuigd dat je alles weet?'

'Dat ik alles weet? Het is mijn werk om alles te weten, vriend... en in dit bedrijf is het zo, dat je – als je je werk niet goed doet – er op de eerstvolgende betaaldag linea recta uitvliegt. Waar ik vandaan kom, kennen ze geen ontslagbescherming.'

'Maar *als* je iets wist, Jonsson, wat zou dat dan zijn?'

'Nu klink je net als Kleutertje Luister, Veum. In mijn branche bestaat geen als.'

'Ik begrijp dat je in een harde branche zit, Jonsson. In mijn kringen bestaat alleen maar als.'

'Jee, wat zul jij een lol hebben. Wel, wel, wel... een beetje achtergrondinformatie kan waarschijnlijk geen kwaad. Ga zitten, Veum.'

Ik nam plaats in een diepe, leren stoel, zo diep dat ik het gevoel had de vloer te raken.

Hij ging verder: 'Luister, speurneus. Ik ben verantwoordelijk voor de veiligheid op de platforms. De veiligheid aan boord is onlosmakelijk verbonden met de betrouwbaarheid van de bemanning en... niet in de laatste plaats... met hun onafhankelijkheid.' Hij keek me veelbetekenend aan.

'En wat bedoel je met onafhankelijkheid?'

'Het zou ons bijvoorbeeld niet zo goed uitkomen, als onze mensen in de klauwen vallen van lieden die het plan zouden kunnen opvatten een sabotageactie tegen onze olie-installaties te beginnen. Met andere woorden: mensen met een sterke sympathie voor de Palestijns-Arabische zaak hebben weinig kans om door ons te worden aangenomen. In ieder geval niet zolang ik hier iets te zeggen heb. Mensen met connecties binnen de onderwereld, drugsverslaafden, notoire alcoholici, neuroten, homoseksuelen... *no dice, man.*'

'Het lijkt wel of jullie een gebedshuis runnen.'

'Wel, die vergelijking is zo gek nog niet... zeker wat de eis van onberispelijk gedrag betreft.'

'Ik ken niet veel oliearbeiders, maar degenen die ik ken, zijn niet bepaald de onschuld zelve.'

Hij stak een grote, dikke wijsvinger omhoog en wees in mijn richting. 'Vraag ze eens voor welke firma ze werken, Veum. Iedereen hanteert andere regels. Maar jullie Noren zijn niet helemaal goed wijs. Door de vakbondspolitiek die jullie voeren, worden er regelrechte communisten offshore gestuurd. Jullie kijken verdomme niet eens van welke partij ze lid zijn. En die geile kikkereters uit Frankrijk, die hebben helemaal geen principes. Maar wij... met onze roots in de States, wij voeren een streng beleid. Harde, stoere, cleane jongens buiten op het platform... *good, clean fun* als ze aan land zijn.'

'En wat bedoel je met *good, clean fun*? YMCA?'

'*Wein, Weib und Gesang.*' Hij grijnsde, waarbij zijn sigaret zowat in zijn mond schoot. Hij sloeg zijn vuist met een dreun op tafel en lachte luid naar Vevang. 'Genoeg vroom gelul voor vandaag, nietwaar Nils?'

Lenig sprong hij op de grond. 'Ik zal er geen doekjes om winden. Ik kan je niets over Arne Samuelsen vertellen, omdat er niets is. We zijn geen oude wijven, maar we passen op onze mensen. Het maakt ons niet uit met welke meisjes ze slapen, zolang het maar fatsoenlijke Noorse dellen zijn en geen buitenlandse spionnen. Het kan ons ook niet schelen hoeveel ze drinken als ze aan land zijn, als ze op het werk maar nuchter blijven. Een beetje hasj is oké, maar als ze sterker spul gebruiken, kunnen ze verder thuisblijven. Hoge speelschulden kunnen leiden tot het soort afhankelijkheid waar ik het net over had. En de politiek... die houden we scherp in de gaten. Maar zoals gezegd... Arne Samuelsen... een onbeschreven blad, zo blank als de billetjes van een pasgeboren baby.'

'Mag ik eens kijken?'

Hij schudde zijn hoofd, langzaam en stellig. 'Nee. Vertrouwelijk. Bescherming van de privacy. Je zult het ergens anders moeten proberen.'

'Dus je kunt me zelfs geen hint geven? Met welke meisjes hij omgaat? Zoiets?'

Hij schudde nogmaals zijn hoofd. 'Nee. Laat ons maar zien hoe goed je bent en kom het me vertellen als je iets hebt ontdekt. Maar ik weet bijna zeker dat je niks vindt, want dan heb ik slecht werk geleverd en dat is niet mijn gewoonte.'

Ik bleef zitten. Buiten was de natte sneeuw weer overgegaan in regen. Ik had geen zin om naar buiten te gaan en ik zat in een lekkere stoel. Jonsson zei: 'Dat was alles, Veum.'

Moeizaam stond ik op. 'Tot ziens', zei ik en liep naar de deur. Vevang zat achter zijn bureau en keek peinzend in de open map. Om een of andere reden deden ze me denken aan de Dikke en de Dunne. Ik knikte even en verliet de kamer.

Ik nam de lift omlaag naar de receptie. Naast de uitgang was een munttelefoon. De portier volgde me met zijn blik. Ik verzamelde mijn losse kronen en draaide een nummer in

Bergen. Toen de telefoniste antwoordde, vroeg ik naar Solveig Manger. Solveig Manger was er niet, zei ze, met nauwelijks verholen leedvermaak. Ze kende mijn stem en ze had me nooit gemogen. Ik zei dat ik uit Stavanger belde en vroeg of ze Solveig Manger mijn nummer kon geven. Ze kon het noteren, zei ze. Ik gaf haar het nummer van het hotel en zei dat ik zou proberen daar om vier uur te zijn. Proberen kunnen we allemaal, zei ze filosofisch en hing op.

Ik stond een poosje naar de hoorn te staren voor ik weer bij zinnen kwam en een taxi belde.

8

Deze taxichauffeur was van het praatgrage soort. Nog voor we halverwege de stad waren, had hij al een hele voordracht gehouden over de invloed van het olietijdperk op het leven in Stavanger. Toen draaide hij zich nonchalant naar me om, met zijn rechterhand op de stoelleuning, en zei: 'Maar jij zit zelf zeker ook in die branche?'

'Nee, ik ben hier maar een paar dagen... voor mijn werk.'

Hij wierp even een blik op de weg en draaide zich weer om. Een Volkswagen hield angstvallig rechts en in de verte kwam een grote vrachtwagen doelbewust op ons af. Hij zei: 'Ik hoor dat je uit Bergen komt.' Hij sprak Bergen uit als *Barrgen*, met een diepe keel-r.

Ik wees zwijgend naar de weg voor ons. Hij draaide even soepeltjes aan zijn stuur en de vrachtwagen gleed als een plotselinge windvlaag langs. De chauffeur zei: 'En hoe is het bij jullie? Heeft de olie zijn intrede al gedaan?'

'Nog niet. Maar de grote maatschappijen zijn al druk bezig onroerend goed op te kopen, dus het zal wel niet zo lang meer duren.'

'Het is een hel, zal ik je zeggen... maar het levert natuurlijk geld op, dus het is kiezen of delen: een paradijs zonder geld... of een hel met.'

Ik geloofde hem. Dronkaards en taxichauffeurs vertellen de waarheid. We naderden het centrum en kwamen in de file terecht. Ik boog me naar voren en zei: 'Zeg... ken jij hier niet wat dames van lichte zeden?'

Hij draaide zich om, deze keer met een grijns om zijn mond. 'Dus je wilt het er eens goed van nemen?'

'Nee, maar... zegt de naam Laura Losjes je iets?'

We stopten voor een rood licht en hij bromde: 'Laura Losjes, ja, een van de ouwe getrouwen. Zat al in het vak toen Viking nog in de tweede divisie speelde... in tegenstelling tot alle dure dames die er de afgelopen jaren bij zijn gekomen. Laura Losjes... die doet het in de bosjes, riepen de jongens haar vroeger altijd na. Zal ik je naar haar huis brengen?'

'Weet je waar ze woont?'

'Service van de zaak, vriend. Daar gaan we.' We verlieten de hoofdweg in westelijke richting. Hij reed een paar steile hellingen ten westen van de haven af, sloeg een zijstraat in en zette de auto tegenover een pakhuis aan de kant. Hij wees recht vooruit. 'Zie je dat pakhuis daar? Eromheen, de binnenplaats op en dan de eerste deur rechts. Ze is de enige die er woont, dus je kunt je niet vergissen. Binnen moet je een lange, smalle trap op. Daar woont ze, in de vroegere conciërgewoning. Helemaal alleen in haar paleis. Maar ik kan je niet garanderen dat ze thuis is. Om deze tijd begint haar werkdag gewoonlijk.'

'Nou. Bedankt voor de hulp.' Ik gaf hem een fooi.

Hij bedankte en zei: 'Doe haar de groeten. Zeg maar dat Åge je gestuurd heeft.'

'Krijg je provisie?' vroeg ik, knikte naar hem en sloeg het portier achter me dicht.

Ik volgde de aanwijzingen. Het pakhuis was groot en grijs, met afgebladderde muren en dichtgespijkerde ramen op de benedenverdieping. Op de binnenplaats schoot een gestreepte kater de hoek om toen hij me in de gaten kreeg. Tegen een schutting lag het wrak van wat ooit een vrachtwagen was geweest, zonder wielen en met de deur van de lege stuurcabine hangend aan een van de scharnieren.

Ik opende de eerste deur die ik tegenkwam. Uit een brievenbus stak de laatste editie van het *Stavanger Aftenblad*. Dat maakte een serieuze indruk. De trap naar boven was lang, smal en donker – en leek op geen enkele manier op het brede pad naar de hel. Er was geen licht. Tastend langs de wand klom ik omhoog. De trap eindigde abrupt voor een deur, zonder overloop ervoor. Ik zag geen bel, dus ik klopte aan. Geen antwoord. Ik klopte nog eens, iets harder. Geen reactie. Ik bleef wachten, luisterde of ik iets hoorde. Als ze thuis werkte, zou ze druk bezig kunnen zijn. Zo niet, dan was ze er niet.

Ik bonsde nogmaals, met hetzelfde resultaat. Ik liep de trap af en ging weer naar buiten. Daar bleef ik staan. Door het sombere weer begon het al schemerig te worden. De dag was snel voorbij gegaan en ik was niet veel wijzer geworden. Nog niet.

Ik liep terug naar het hotel. De avondspits was begonnen en veel automobilisten probeerden, tegen de regels in, via de smalle straatjes een stuk af te snijden. In het hotel had de receptie een boodschap voor me: Solveig had gebeld. Ze zou het morgen weer proberen. De receptionist keek me veelbetekenend aan en ik bedankte voor de boodschap.

Ik was die ochtend vroeg opgestaan, dus ik ging naar mijn kamer, nam een douche en ging op de bank liggen. Ik sliep binnen vijf minuten in en werd twee uur later wakker van de honger.

Buiten was het donker geworden. De neonreclames flitsten aan en uit. Stavanger maakte zich op voor de avond – en de nacht.

9

De eetzaal was verbonden met de bar. De meeste tafels waren bezet en de barkeeper deed geroutineerd zijn werk achter de toog. Op een barkruk zat een man met spierwit haar en een jeugdig, monter gezicht. Toen ik langs hem liep, volgde hij me nieuwsgierig met zijn blik, hij hief nog net zijn glas niet naar me op. Zijn glas was gevuld met een donkerbruin drankje.

Ik vond een tafeltje in een hoek van de zaal, onder een overhangende potplant. Ik was nog niet gaan zitten, of er snelde al een ober op me af met een menukaart. Over de rand van de kaart bespiedde ik de clientèle. Die was gevarieerd, maar bestond voor het merendeel uit mannen. Er waren jonge mannen en oudere mannen, mannen van middelbare leeftijd en mannen zoals ik. De vrouwen waren over het geheel genomen jonger, chic op een enigszins opgedirkte manier en in kleding die hun weelderige vormen accentueerde. Hun glimlach was mooi en mechanisch, maar bereikte hun ogen niet.

Ik bestelde wat ik wilde hebben: een kipgerecht met groene salade en een half flesje rosé. Ik was eenvoudig gekleed, in een zwart overhemd met openstaande boord, een zwarte broek en een bruin corduroy colbertje. Ik zag er blijkbaar niet uit alsof ik een goedgevulde portemonnee had, want geen van de vrouwen stond op om mij haar gezelschap aan te bieden. Ik kon rustig eten.

Om me heen hoorde ik Amerikaans, Frans, Spaans en Noors. Ik ving zowel dialecten uit het oosten en het noorden van Noorwegen als mijn eigen stadsdialect op, maar heel weinig Stavangers. Aan een tafel achter in de zaal zag ik ineens Carl B. Jonsson zitten. Hij had een bloedrood drankje voor zich staan, praatte opgewonden en lachte bulderend. De rook hing als een wolk boven de tafel, waar vijf mannen en twee vrouwen omheen zaten. Ik kende de anderen geen van allen.

Plotseling stond ze naast mijn tafeltje. Door de diffuse belichting leek het haast bovennatuurlijk, alsof ze uit het niets kwam, een soort geestesverschijning. Ze was klein. Ze had een lief, maar nogal mager gezicht, met holle wangen en grote, donkerblauwe ogen. Haar haar was bruinzwart en viel in zorgvuldig gekapte krullen op haar smalle schouders. Ze had een slanke hals en haar goudbruine huid spande over haar sleutelbeenderen. Als ze Noors was, was ze minder dan een maand geleden nog naar de zon geweest.

Ze droeg een strakke paarse broek en een nauwsluitend truitje met franjes en een diep decolleté, en in de holte tussen haar kleine borsten hing nadrukkelijk een minuscuul gouden hangertje. Ze had een schoudertas bij zich en lachte met grote, spierwitte tanden. Haar ogen leken zowel hongerig als nieuwsgierig, maar waarschijnlijk was ze alleen maar bijziend. De lach die ze me schonk, leek echt. 'Mag ik gaan zitten?' vroeg ze, in zuiver Oost-Noors.

Ik haalde mijn schouders op en wees naar de vrije stoel. Meteen was de kelner er, alsof ik op een knop had gedrukt. Ik vroeg gelaten: 'Wil je iets drinken?'

'Graag', lachte ze lief. Tegen de kelner zei ze: 'Het gewone.'

Ze kreeg een glas met het gewone, iets met cola (of misschien alleen cola, wist ik veel) en een vers schijfje citroen op de rand van het glas.

Ik hief mijn wijnglas, we proostten.

Een ogenblik zwegen we. We keken gegeneerd langs elkaar heen, als twee jongelui op hun eerste afspraakje. Toen schraapten we allebei onze keel en begonnen tegelijk te praten. We lachten opgelucht en allebei gebaarden we dat de ander kon uitpraten. Ik schudde mijn hoofd en ze vroeg: 'Logeer je hier... in het hotel?'

'Ja.'

'O ja, ik dacht al dat ik je niet eerder had gezien. Verder...' Ze keek om zich heen. 'Verder komen ze vaak terug.' Haar neus was recht, mooi, met smalle, uitstaande neusvleugels. Ze had een brede mond met ronde, fraaigevormde lippen. Er lag een enigszins trieste uitdrukking op haar gezicht, wat onwillekeurig een gevoel van medelijden opriep. Misschien maakte het deel uit van haar tactiek, misschien was ze droevig.

'Ik heb me nog niet...' Ze gaf me een hand, over de tafel heen. Er hing een gouden armbandje om haar smalle pols en haar nagels hadden dezelfde kleur als haar kleren. 'Elsa... heet ik.'

'Varg... Veum.' Ik hief ogenblikkelijk mijn hand in een afwerend gebaar. 'En als je me niet gelooft, kan ik je mijn rijbewijs laten zien.'

Ze lachte: een vrolijke, parelende lach. 'Ik geloof je. Je ouders moeten veel gevoel voor humor hebben gehad.'

'Dat vinden andere mensen ook.'

Haar hand gleed zogenaamd toevallig over de rug van mijn hand, met de haren mee. 'Wat brengt je naar Stavanger? De olie?'

Ik schudde mijn hoofd. Ik haalde het fotootje van Arne Samuelsen tevoorschijn en hield het haar voor. 'Hij.'

'Hij?' Ze keek me niet-begrijpend aan. 'Wie is dat?'

'Iemand uit Bergen. Hij is verdwenen en zijn moeder is een beetje ongerust.'

'Dus jij... Zeg, ben je...' Ze deed ineens opvallend koel.

'Privé', zei ik.

'Wat?'

'Detective, maar niet van de politie.'

'Een... een detective?' Ze lachte weer, enigszins argwanend.

'Inderdaad. Ik hoop niet dat het klinkt als een misdaad-film uit de jaren veertig. Je kent hem zeker niet?' Ik knikte naar de foto.

Ze keek ernaar, schudde langzaam haar hoofd. 'Nee... ik geloof het niet. Hij heeft in elk geval nooit... ik bedoel...' Ze maakte haar zin niet af, maar ik begreep wat ze bedoelde.

Ze nam een slok uit haar glas. Haar ogen hadden een lege uitdrukking gekregen. 'Dus dan ben je zeker niet... geïnteresseerd?'

'Helaas. Ik... ik zou graag... maar...'

Ze glimlachte treurig. 'Laat maar. Ik begrijp het wel. Het geeft niet. Er zijn er genoeg, maar jij zag er, op een bepaalde manier... aardig uit.' Ze dronk haar glas leeg, hield het lege glas op en zei: 'Bedankt. Een andere keer misschien?'

Ik zei:'Wellicht.'

Ze stond op, glimlachte, hing haar tas over haar schouder en liep tussen de tafeltjes door naar het toilet. Ze werd door vele ogen gevolgd, dus als ze terugkwam zou ze vast meer geluk hebben.

Ik betaalde de maaltijd en de wijn, stond op en liep naar de bar. Als ik in mijn eentje bleef zitten kniezen, zou ik niets te weten komen. Barkeepers zijn net als taxichauffeurs: ze kennen alle adresjes en ze weten wat er gebeurt, en waar. Ik kon. allicht een poging wagen. Ik vond een lege barkruk en probeerde de aandacht van de barkeeper te trekken.

'Het ruikt hier naar messing', zei een zware stem naast me.

10

De man met het spierwitte haar en het blozende, jeugdige gezicht lachte me goedmoedig toe. 'Ik zag dat je Elsa een fo- to liet zien. Tenzij het een naaktfoto van jezelf was waar ze zo van schrok, dan...' Hij haalde zijn schouders op. Hij was redelijk klein en zijn lichaam had iets weg van een kikker, korte benen en een breed bovenlijf. Hij had dikke, grijs- witte wenkbrauwen en lichte, vrolijke ogen. Hij droeg een grijs pak, wit overhemd en een ouderwetse, smalle, wijnro- de stropdas. Ik schatte hem een jaar of zestig.

Hij gaf me een hand en stelde zich voor. 'Benjamin Sieverts, aangenaam.' Hij wachtte op antwoord.

'Veum', zei ik. 'En je reukzin zit ernaast. Ik ben niet van de politie, maar ik ben wel op zoek naar iemand.'

'Veum?' zei hij. 'Uit Bergen...' Hij keek me peinzend aan. 'Weer eentje voor het archief.'

Ik keek hem vragend aan. 'Archief?'

'Ik heb een gebrek... of een talent, het is maar hoe je het ziet. Als ik éénmaal een gezicht heb gezien, dan vergeet ik dat nooit meer. Ik ken nog klanten van me, die ik dertig jaar geleden voor het laatst heb gezien. Ja, met de jaren is het zelfs zo dat ik makkelijker mensen herken van vlak na de oorlog, dan iemand die ik eergisteren heb ontmoet.'

'In mijn vak zou dat een voortreffelijke eigenschap zijn', zei ik.

'O ja? Wat doe je dan?'

Ik wachtte met mijn antwoord omdat de barkeeper kwam. Deze keek me afkeurend aan toen ik een jus d'orange bestelde.

Toen ik mijn glas had gekregen, wendde ik me weer tot mijn buurman. 'Privédetective.'

Hij lachte breed. 'Dus m'n neus was zo slecht nog niet.'

'Och...'

'Ja, want alleen een smeris zou een meisje als Elsa afwijzen. Aardiger zijn ze hier in Stavanger niet te vinden. In ieder geval niet onder de meisjes waar je voor moet betalen, en onder de anderen eigenlijk ook nauwelijks.'

'Ken je haar?'

'Nou ja, alleen oppervlakkig. Maar weet je, 't is een kleine stad... nog steeds. En dit hotel hier... is zo'n beetje een trefpunt, zal ik maar zeggen. Zie je die vent daarginds... in de hoek? Topman bij Statoil. En die man in dat donkere pak, die eruitziet alsof zijn lul tussen de rits van zijn gulp is gekomen? Een van de zakenlui die de afgelopen jaren het meest aan de stadsontwikkeling hebben verdiend. Een van de grootste speculanten in bouwgrond, onder andere. En die vent die daar zo luid zit te lachen...'

'Jonsson?'

'Ja... ken je hem? Harde kerel. Heeft vroeger rugby gespeeld, beroeps. Die twee meisjes aan zijn tafel zijn allebei prostituee. Uit Oslo. Toen de olieproductie serieus van start ging, zijn de professionals uit het hele land hier naartoe gekomen. In Oslo zijn alleen wat amateurs achtergebleven.'

'Je lijkt goed op de hoogte.'

Hij keek me met onschuldige, blauwe ogen aan. 'Alleen theoretisch, vriend. Echt waar. Ik ben al tien jaar weduwnaar en mijn vrouw is op het juiste moment gestorven: toen de fut uit me verdween. Sindsdien heb ik me geconcentreerd op andere geneugten in het leven dan de vleselijke en er blijft genoeg over.'

'Zoals bijvoorbeeld?'

Hij wees naar zijn glas. 'Dit hier.' Hij wreef over zijn borstzakje. 'Goede sigaren. Reizen. Gokken. Een vaste zitplaats in het stadion. Je moet je gewoon aanpassen...' Hij hief zijn glas. 'Skål.'

We namen een slok en hij ging verder: 'Zeg, drink je ook wel eens wat sterkers dan wijn?'

'Ik probeer me in te houden. In ieder geval tijdens mijn werk.'

'Ach ja... Probeer het eens bij mij!'

'Probeer...'

'Die foto! Zoals ik al zei... als ik éénmaal een gezicht heb gezien... Het vergt nogal wat, zal ik maar zeggen, als je een paar honderdduizend gezichten in je hoofd hebt. Ik kan verdomme nog geen ommetje door de stad maken, of de ene archieffoto na de andere komt tevoorschijn. Sommige mensen zijn zo oud geworden en zo veranderd dat het even duurt voor ik ze kan plaatsen, terwijl anderen... het is net of er een klep opengaat, zal ik maar zeggen.'

'Hier.' Ik gaf hem de foto.

Hij wierp er even een blik op. 'Ja, ja. Juist.' Er was een frons tussen zijn brede wenkbrauwen gekomen.

Ik wachtte gespannen. 'Je bedoelt toch niet... Wil dat zeggen dat...'

Hij knikte langzaam. 'Ik heb hem wel eens gezien en nog niet zo lang geleden ook. Het moet net voor het weekeinde zijn geweest. Of... woensdag!'

Zijn gezicht klaarde op. Hij knikte driftig. 'Ik heb het.'

Ik boog me naar hem toe. 'Ja? Waar?'

Hij glimlachte sluw en hield zijn glas omhoog, alsof hij wilde zien hoeveel er nog in zat. 'Ik kan je er wel heen brengen... Misschien. Als je wilt.'

'Ja. Waar? Is het ver weg?'

'Nee, niet zo ver. De markt over en dan een stukje verderop. Ik kan je er onderweg wel wat over vertellen. Zullen we gaan?'

Ik knikte. 'Maar... wat is het voor iets?'

Hij leegde zijn glas. 'Het is een... exclusieve tent.'

'En je weet het zeker?'

'Zoals ik zei, kerel...'

'Als je éénmaal een gezicht hebt gezien...'

'Vergeet ik het nooit meer. Correct.'

Toen we naar buiten gingen, zag ik dat Elsa had plaatsgenomen aan een tafeltje waar al drie jonge mannen en een vrouw zaten. Carl B. Jonsson knikte gemoedelijk toen ik langsliep. Ik gaf bij de receptie door dat ik naar buiten ging en dat ik niet wist hoe laat ik terug zou zijn.

Buiten was het droog en koud. We zetten onze kragen op en Sieverts drukte een zwarte hoed stevig op zijn hoofd.

Voor we gingen zei ik: 'Je hebt me nog niet verteld wat jij doet.'

'Ik?' knipoogde hij me van onder de rand van zijn hoed vriendelijk toe. 'Ik ben belastinginspecteur.'

11

Hoewel het een koude, gure novemberavond was, was het buiten behoorlijk druk. Het avondpubliek van Stavanger was jeugdig, luidruchtig en min of meer aangeschoten. 'Hier dalen we af naar het inferno', glimlachte Sieverts toen we een voetgangerstunnel inliepen. In de tunnel stond een groep jongeren, de jongens in leren jasjes en leren broeken, de meisjes in strakke spijkerbroeken en donzen jacks. Ze staarden ons uitdagend aan toen we langsliepen, maar we deden net of we het gejoel dat ons door de betonnen tunnel volgde niet hoorden. Onze voetstappen klonken hol.

Bij de uitgang speelde een orkestje van heilsoldaten schel en vals voor slechts enkele toehoorders. De muzikanten hadden rode handen en witte gezichten van de kou en het koper van de instrumenten blonk kil. Wij liepen door.

Aan de kade had zich een groter publiek verzameld. Twee jongens dansten dronken om elkaar heen terwijl ze lomp om zich heen sloegen, als beren die lastige bijen van zich af proberen te slaan. Af en toe raakten ze elkaar en dan klonk er een dof geluid. De toeschouwers stonden in een cirkel om hen heen. Sommigen moedigden aan, niemand probeerde tussenbeide te komen. Wij liepen door.

In een portiek stonden twee verlopen manspersonen en een slonzige vrouw. Ze deelden een fles brandewijn en met hun tong vingen ze behendig de druppels op die niet in hun mond terechtkwamen. De vrouw keek ons tandeloos aan en vroeg of we ook wat wilden, maar we liepen door. We moesten nog verder.

Ik keek achterom. De heilsoldaten pauzeerden, maar het gevecht op de kade ging door en Alexander Kielland waakte onverstoorbaar over het geheel.

'Overal in Stavanger', zei Sieverts, 'zijn de laatste jaren gelegenheden opgedoken als die van Ole Johnny... waar we nu naartoe gaan.'

'Ole Johnny?'

'Ja, zo heet hij. Een van de oorspronkelijke bewoners. Ooit, in de jaren vijftig, toen het nog gevaarlijk was om porno te verkopen, was hij een van de weinigen in Stavanger die het toch deden. Goede Deense waar, lang voordat het modern werd. Hij had een tabakswinkeltje... maar hij breidde het assortiment uit... met porno en voorbehoedsmiddelen. Allemaal spul dat twintig jaar geleden verboden was in Stavanger. Maar met de opkomst van de olie heeft hij het pas echt gemaakt.'

'Zo?'

'Ja. De jongens krijgen verlof, nietwaar? Wie getrouwd is en vrouw en kinderen heeft, gaat naar huis. Maar het merendeel komt uit het buitenland en die kunnen niet zomaar naar huis, of het zijn jonge jongens die thuis niets te zoeken hebben... en als die dan ineens midden in de stad staan, met hun zakken vol poen en ik weet niet hoeveel vrije dagen... Wat moeten ze verdomme doen? Bij de padvinderij gaan?'

Een van die jonge jongens stond voor de ingang van een bar te ruziën met de portier. 'Eerst mag ik me hierbinnen helemaal laveloos drinken, maar als mijn geld op is, mag ik er niet meer in. Waar slaat dat nou op?' klonk het in een taaltje van ergens diep aan een fjord.

De portier schudde alleen maar afwijzend zijn hoofd.

De jongen begon met zijn armen te zwaaien en plotseling – voor een van ons er erg in had – gaf de portier hem een kaakstoot en tuimelde hij achterover in de goot. Daar bleef hij verdwaasd om zich heen liggen kijken.

Ik bleef staan en zei: 'Was dat nou nodig?'

De portier kwam naar me toe. Hij was iets kleiner dan ik, maar het was een breed, potig kereltje met ver uiteen staande ogen. 'Dat was zelfverdediging. Dat zag je toch zeker wel. Of moet je er ook een?'

Dat hoefde ik niet. Sieverts had de jongen weer op de been geholpen en hem aangewezen welke richting hij uit moest. We liepen door.

'Zo zie je maar', zei Sieverts. 'En sommige mensen verdienen aardig aan die... hoe zal ik het noemen... vrijetijdsproblemen. De eigenaars van al die nieuwe cafés bijvoorbeeld. De meisjes in het vak. En lui als Ole Johnny.'

'Die een of andere tent runt... als ik het goed begrijp?'

We liepen nu een paar zijstraten door. 'Precies', zei Sieverts. 'Dat wil zeggen... van buiten ziet het eruit als een heel gewoon appartementencomplex. Vlak naast een gebedshuis zelfs. Maar vanbinnen!'

'Ja?'

'Wacht maar tot je het ziet, beneden en op de eerste verdieping kun je... gokken. Beneden staan voornamelijk automaten, maar die leveren ook heus geen kattenpis op. Daar had Ole Johnny vroeger zijn tabakswinkeltje. Maar *dat* is slechts peanuts vergeleken met boven. Want op de eerste verdieping is een casino van internationaal formaat. Er wordt vooral poker gespeeld en vaak met hoge inzet, dat kan ik je verzekeren. Ik heb er zelf ook een paar keer gespeeld.'

'Is daar dan geld mee te verdienen?'

'Te verdienen en te verliezen. Maar meestal het laatste,

natuurlijk, anders zou die tent er niet zijn. Maar je kunt er ook dobbelen... en in een van de achterkamers is een echte roulette. Er is een hoop geld in die tent geïnvesteerd en het heeft Ole Johnny geen windeieren gelegd. Twee vakantiehuizen: eentje in de bergen bij Haukeliseter en een aan zee, in Sirevåg op Jæren. Schitterende huizen allebei, zeggen ze. Maar dat is nog niet alles...'

'Is er nog meer?'

'Er zijn ook wat gastvrouwen. In de appartementen op de tweede en derde... ja, je kunt het je misschien voorstellen?'

'Dat kan ik. In alle behoeften wordt voorzien...'

'Meer. Er is ook sterkedrank te koop, maar alleen per hele of halve fles, zodat het lijkt of je het zelf hebt meegenomen. Het is een privéclub, weet je, en als je er nooit bent geweest, kom je er niet in... behalve als introducé van een bekende die voor je garant wil staan.'

'En dat wil jij doen... voor mij?'

'Ja. Vraag me niet waarom, maar... ja.'

'En daar heb je dus vorige week woensdag Arne Samuelsen... de jongen die ik zoek... gezien?'

'Ja. Daar heb ik hem gezien. Hij heeft gespeeld... ik geloof dat hij dobbelde. Maar ik ben vrij vroeg weggegaan, dus ik kan niet zeggen of hij er alleen was of samen met anderen. Ik weet alleen dat hij er was... de rest moet je zelf maar uitzoeken.'

'En zulke tenten kunnen werkelijk blijven bestaan zonder dat de politie ingrijpt?'

'Pff... de politie! Die heeft het veel te druk met het innen van parkeerboetes en het wegslepen van fout geparkeerde auto's. Ole Johnny's tent is lang niet de enige... je zou eens wat van die villa's buiten de stad moeten zien, die door Amerikanen worden gehuurd. Je reinste Las Vegas, zal ik maar zeggen.'

'En de mensen van die sekte die ernaast zit?'

'Die? Die klampen zich vast aan de zieltjes die ze weten te behouden en het kan hun niets verdommen... sorry... wat er zich buiten hun gebrandschilderde ramen afspeelt. We zijn er.'

We hielden stil voor een gebouw van vier verdiepingen, waarvan de door flikkerende neon verlichte ingang van een verlaten automatenhal op de benedenverdieping de overige etages de mogelijkheid ontnam op te vallen. Ernaast stond een witgeschilderd houten gebouw met hoge, smalle boogramen. Typerend genoeg lag het in het donker.

Sieverts nam me mee de automatenhal in, waar een grote man vanachter een balie alles in de gaten hield. Op de balie voor hem lagen fiches opgestapeld. In een la had hij een grote hoeveelheid contant geld, en toen hij hem opentrok om wat fiches te wisselen, zag ik daar ook de loop van een gaspistool. Hier werden geen onnodige risico's genomen.

Sieverts boog zich naar hem toe. De man keek me, over de schouder van mijn begeleider, met koude schelvisogen aan. Ik zag dat Sieverts hem een briefje van vijftig toestopte, waarop hij zijn schouders ophaalde. Daarna liet hij ons binnen door een zijdeur en bevonden we ons in wat voorheen het trappenhuis naar de woningen was geweest. Dat was het op zich nog steeds, behalve dat er niemand meer woonde. Door enkele getraliede vensters ontwaarde ik een kale binnenplaats. Ik voelde even aan de voordeur. Die zat op slot en kon niet zonder sleutel geopend worden. De enige uitgang was door de automatenhal - of via de binnenplaats. De achterdeur leek forceerbaar.

'Onderzoek je de vluchtmogelijkheden?' vroeg Sieverts.

'Ik heb me aangeleerd voorzichtig te zijn.'

'Zeg... Je bent toch niet van plan herrie te schoppen, hè?'

'Nee, nee. Ik wil alleen maar horen of iemand me iets over... Arne Samuelsen kan vertellen.'

'Tja.' Sieverts zag eruit alsof hij spijt kreeg dat hij me had meegenomen. Waarschijnlijk had hij het gedaan in een bui van enthousiasme, veroorzaakt door het bruine vocht dat hij in zijn glas had gehad.

Maar hij kon nu niet meer terug. Hij nam me mee naar boven – naar het speelhol van Ole Johnny.

12

Sieverts klopte aan op een doodgewone, grijsgroene houten deur. De deur ging open en een breed gezicht gluurde over een veiligheidsketting naar buiten. 'Hallo', zei Sieverts. 'Hallo', zei de man. Zijn zwarte haar had vlak boven zijn ene oog een scheiding en was kortgeknipt rond zijn oren. Hij zag eruit als de boef in een oude stomme film. 'Wie is dat?' zei hij toonloos en knikte naar mij.

'Mijn naam is Veum', zei ik. 'Varg Veum.'

De deur ging dicht. Sieverts draaide zich naar me om. 'Hij gaat even je naam checken. Ze hebben lijsten van mensen die ze niet vertrouwen.' Hij gniffelde. 'Er staan zelfs een paar politiemensen op. Ik hoop dat ze niets tegen jouw soort hebben.'

De veiligheidsketting rammelde en de deur ging helemaal open. 'Het is in orde', zei de man. In de hal zagen we dat hij ongeveer een meter tachtig lang was en onder zijn boord net zo breed en massief als erboven. Hij droeg een donker kostuum, een wit overhemd en een zwart strikje, elegant als een pinguïn in een koekoeksnest. De hal was lang en donker, slechts verlicht door enkele schaarse lampen. Ergens klonk muziek, maar zo zwak dat het net zo goed bij de buren had kunnen zijn, als die er waren geweest. 'De contributie', knorde de man in het zwart-witte pak.

Sieverts pakte een briefje van honderd en ik volgde zijn voorbeeld. De biljetten verdwenen in een binnenzak. Ik vroeg geen kwitantie. Nadat we onze jassen in een overvolle garderobe hadden opgehangen, werden we door een van de deuren binnengelaten.

We kwamen in een ruimte met veel tafels. De rook hing laag boven de groene tafelbladen. Aan de meeste tafels zaten mensen te kaarten. Aan een paar tafels werd gedobbeld. Achter in de zaal was een lange bar ingericht. Daar zaten een paar verslagen toeschouwers, die blijkbaar blut waren en nu met hun laatste troostrijke vocht de avond aan zich voorbij lieten gaan. Bij de bar en bij sommige tafeltjes, met een toevallige hand op een toevallige schouder, stond een exclusieve collectie vrouwen. Ze waren allemaal eender gekleed, in strakke, lila zijden jumpsuits met een brede, in het oog springende rits van de hals tot onder in het kruis. Hoe ver de rits open stond, was een kwestie van smaak. Rond hun middel droegen ze een lila riem, die hun ranke tailles en gulle heupen accentueerde.

Het overige personeel bestond uit mannen, allemaal net zo goed gekleed als de man in de hal en allemaal met grote, asymmetrische lichamen: een soort uit hun krachten gegroeide dwergen.

'Waar haalt hij ze vandaan?' vroeg ik Sieverts zacht.

'De meisjes? De fraaiste van het land. Ze staan als pin-up in de meeste mannenbladen die...'

'Ik bedoelde de pinguïns.'

'O, die. Ole Johnny heeft behalve dit hier, ook een instituut voor bodybuilding.'

'Een veelzijdig heerschap, die Ole Johnny, begrijp ik.'

'Wacht maar tot je hem ontmoet.'

'Dat hoop ik niet.'

'Wat dan?'

'Laat maar. Wat doen we nu?'

Hij keek me nieuwsgierig aan. 'Heb je zin om te spelen?'

'Nee. De laatste keer dat ik poker heb gespeeld, was toen ik op zee was en de inzet was toen zelden meer dan een honderdje. Dus ik wilde mijn beurt maar voorbij laten gaan... als dat mag.'

'Ja, natuurlijk. Er zijn immers andere... recreatiemogelijkheden. We moeten trouwens eerst naar de bar.'

'O?'

'Je moet minimaal een halve fles kopen, dat maakt deel uit van het entreegeld.'

'Buiten de contributie die we al betaald hebben? Dan kan ik me voorstellen dat Ole Johnny zich twee vakantiehuizen kan veroorloven.'

'Ja, maar wat je niet opkrijgt, mag je meenemen naar huis. En de limonade om mee te mengen is gratis.'

'Toe maar. Denk je dat ze aquavit hebben?'

'Ze hebben bijna alles.'

'Nou, nou, nou.'

We waren bij de bar beland. De pinguïn die erachter torende vroeg beleefd wat we wilden hebben. Sieverts nam een half flesje whisky en ik een halve aquavit, zonder dat ik vreemd werd aangekeken. 'Ik denk dat ik hier een poosje blijf zitten', zei ik.

'Oké. Ik kijk of ik ergens een plaatsje kan bemachtigen', zei Sieverts met een knipoog. Ik volgde hem met mijn blik: klein, gedrongen en met spierwit haar gleed hij als een faun door de rook.

Ik onderzocht de zaal grondig met mijn blik. Er was niemand die me bekend voorkwam. De clientèle kwam overeen met wat ik in het hotel had gezien, grotendeels jeugdig en hier – behalve de lila dames – uitsluitend mannelijk. Plotseling voelde ik me geheel hulpeloos. Wat moest ik doen?

In mijn handen klappen, om stilte vragen, de foto van Arne Samuelsen rond laten gaan en vragen of iemand wist waar hij was?

Een matte berusting daalde op me neer en ik schonk een fikse scheut aquavit in mijn glas. Toen klonk een stem als zoete stroop in mijn oor: 'Zoek je iemand?'

Ze oogde Scandinavisch, met goudblond haar en een genereuze melkweg van lichte sproeten in een boog over haar neus en wangen. Haar ogen waren groot en blauw, haar roze mond stond halfopen en de punt van haar tong schoot heen en weer tussen de fraaie witte tanden. De rits van haar jumpsuit stond open tot iets onder haar borsten, die vrij en zonder technische hulpmiddelen naar voren staken. 'Laila', zei ze en het klonk als een bezwering.

Ze was jong, amper twintig misschien. Haar ogen hadden echter iets berustends, alsof ze ruim honderd jaar was en niets haar meer kon verrassen.

'Hallo', zei ik. 'Nee, ik zoek niemand... Niet hier.'

Ze legde een slanke vinger op mijn lippen. 'Ben je alleen?'

'Meestal', zei ik. 'Maar niet altijd.'

'Als je wilt...' Ze wachtte even, voor het effect. Haar vinger gleed omlaag over mijn kin en streelde mijn sleutelbeen. 'Ik heb een kamer... hierboven, en we kunnen...' Ze knipperde met zware, zwarte wimpers, die een scherp contrast vormden met haar lichte haar.

'Hoeveel zou me dat kosten?'

'Vijfhonderd om naar binnen te gaan... en voor een halfuur. Duizend voor een uur.'

'En als ik de hele nacht zou willen blijven?'

Haar mond ging nog iets verder open en ze monsterde me snel van top tot teen. 'Vier... duizend', zei ze. 'En we nemen geschenken aan.'

'Ik ben bang dat mijn bankrekening daar niet draagkrachtig genoeg voor is', zei ik. Ik haalde snel de foto van Arne Samuelsen tevoorschijn. 'Maar ik kan je een paar honderdjes geven, als je me iets over deze man kunt vertellen.'

Ze bezag me met een geheel andere gezichtsuitdrukking: een mengeling van sluwheid en berekening. Daarna keek ze even naar het fotootje. Toen ze vervolgens het lokaal rondkeek, volgde ik haar blik. Ik zag hetzelfde als zij. De twee grootste pinguïns kwamen resoluut op ons af. Ze bleven beleefd voor ons staan en één blik was voor de zomernachtblonde Laila genoeg om zonder afscheidsgroet achter de schermen te verdwijnen. Een van hen, met een dikke bos rossig haar, zei zacht en beleefd: 'De baas wil u graag ontmoeten, meneer...'

'Veum.'

'Inderdaad.' Hij stapte opzij en maakte plaats voor me.

Ik zei: 'Ik kan u niet zeggen hoe lang ik al naar deze ontmoeting uitkijk. Waar is hij, de baas?'

'Volgt u ons maar.'

Ik volgde hen. Boven vijf speelkaarten ontwaarde ik het gezicht van Benjamin Sieverts. Ik stelde hem met een knikje gerust. Het was prettig te weten dat in elk geval één persoon wist waar ik was.

De deur ging achter ons dicht, de gedempte muziek verdween bijna, de stemmen werden afgesneden. Ik was weer terug in de hal, samen met twee sterke pinguïns. De hal leek plotseling koud en tochtig. Er ging een rilling door me heen.

'Deze kant op', zei een van mijn begeleiders.

13

We bleven voor de achterste deur in de gang staan en de opperpinguïn klopte aan. Een stem zei: 'Binnen.'

De kamer die we binnengingen hield het midden tussen een kantoor en een boudoir. Tegen de wand stond een brede divan met een glanzende, groene zijden sprei met kwastjes langs de zomen erover. Boven de divan hing een houtskooltekening die van weinig talent getuigde. De tekening stelde een op haar rug liggende naakte vrouw voor, die ons met open mond aanstaarde, zowel van boven als van onderen.

Aan de andere kant van de kamer stond een gigantisch mahoniehouten bureau, met een reliëf langs de randen, dat de eerste de beste amateurkunsthistoricus ongetwijfeld in een stijl en een tijdperk zou kunnen plaatsen, maar dat mij totaal niets zei. Op het bureau stonden een karaf met iets bruins erin en een halfvol glas met borrelend vocht. Het was blijkbaar niet de meest drukke kantoortijd.

Achter het bureau zat Ole Johnny zelf.

Hij oogde nogal klein zoals hij daar zat, maar het principe was hetzelfde als bij de pinguïns: brede borst, krap pak. Ole Johnny was echter iets ronder en vadsiger. Hij was een jaar of vijftig en zijn donkere haar vertoonde grijze strepen. Het was achterover gekamd in een sierlijke coupe, die eind jaren vijftig furore gemaakt zou hebben, maar die nu sterk de indruk wekte passé te zijn. Tussen zijn vlezige lippen dampte een dikke, donkerbruine sigaar. Zijn tanden waren donkergeel en hij was slecht geschoren. De steen in zijn dasspeld was ongetwijfeld echt en aan zijn stompe vingers droeg hij tien, twaalf ringen.

Toen hij opstond, zag ik dat hij verrassend klein was, hooguit een meter zestig.

De twee pinguïns brachten me naar het bureau. Ole Johnny nam met zijn linkerhand de sigaar uit zijn mond, stak zijn rechterhand uit om me te begroeten en vroeg me plaats te nemen. Met twee nogal groot uitgevallen pinguïns vlak achter me zag ik geen reden te weigeren en dus voldeed ik aan zijn verzoek. De stoel was diep en comfortabel.

Ole Johnny tipte de as van zijn sigaar in een volle, gifgroene asbak, nam een flinke slok uit zijn glas, keek peinzend naar zijn twee mannen en zei: 'Dit zijn mijn secretarissen. Zij doen de boekhouding.'

Ik keek naar hen op. Van onderaf waren vooral opbollende borstspieren en grote kaken te zien. Dat zou me een boekhouding zijn. Ik hoopte niet dat ze van plan waren mij erin op te nemen. Als nadelig saldo.

'Veum...' Ole Johnny keek me met half dichtgeknepen ogen aan. 'Je staat niet op onze lijsten, maar als er nieuwe mensen opduiken... We hebben wat inlichtingen ingewonnen en we zijn er niet helemaal zeker van of we prettig vinden wat we ontdekt hebben. Ben je hier als privépersoon... of...'

Ik probeerde rustig en ontspannen te spreken. 'Ik ben hier... op uitnodiging.'

'Op uitnodiging', herhaalde hij schamper.

'Hij... hij liet Laila iets zien', klonk het plotseling achter me. Ik draaide me niet om om te zien wie dat zei. De dame op de houtskooltekening was het hoogstwaarschijnlijk niet.

'O ja?' kwam het scherp van Ole Johnny. 'Wat dan?' blafte hij me toe.

Ik begon te transpireren. 'Ik... ik ben in Stavanger omdat ik iemand zoek.'

'Zo?'

Ik haalde mijn schouders op. 'Overal waar ik kom, laat ik zijn foto zien. Hij moet toch ergens zijn.'

'Laat eens zien.' Hij stak een mollige hand uit. Hij deed me denken aan Karlsson van het dak.

Ik gaf hem de foto, die hij bestudeerde alsof het een beroemde postzegel of een meesterlijke vervalsing was.

'En hoe heet deze knaap?'

'Samuelsen. Arne Samuelsen.'

'En waarom zou hij volgens jou hier kunnen zijn?'

'Zomaar. Maar hoe meer je het ontkent, hoe achterdochtiger ik word.'

Hij liep rood aan en kwam half uit zijn stoel omhoog. Het leek of hij ging opstijgen. 'Waar haal je het recht vandaan om de boel hier een beetje verdacht te maken, en pas op je woorden, Veum, wij hebben wel hardere noten gekraakt!'

'Daar twijfel ik niet aan. Rustig maar. Ik bedoelde alleen... De meeste mensen die hier komen, zitten in de oliebranche, nietwaar? Nou, Arne Samuelsen werkt ook op een platform. Meer zit er niet achter.'

'Nou... Ik kan me niet heugen hem ooit gezien te hebben. Jullie?'

Hij gaf de foto aan de twee pinguïns, die hun hoofden erboven bijeenstaken, alsof het een nieuwe pornografische uitvinding was. Ze schudden allebei ontkennend het hoofd. 'Nee', zeiden ze allebei. 'Dacht het niet.' Zoiets hadden ze nog nooit gezien.

Ik zei: 'Maar jullie checken blijkbaar de namen van iedereen die hier komt. Houden jullie ook een kaartsysteem bij?'

Ole Johnny keek me geïrriteerd aan. 'Nee.'

'Niet?' Ik liet hem merken dat ik hem niet geloofde.

'Nee!' blafte hij me nogmaals toe. Hij had een vurig temperament. Hij zou aan zijn hart moeten denken.

'En hij komt jullie niet bekend voor... zijn naam niet, en zijn gezicht ook niet?' Het was hem gelukt mij echt achterdochtig te maken.

'Hoe vaak moet ik het nog zeggen, Veum? Nee, nee en nog eens nee.' Hij kauwde op zijn sigaar en keek me woedend aan. 'Je kunt vertrekken, Veum. Je bent hier niet welkom. We willen je hier niet meer zien. Begrepen?'

'Daar kan geen misverstand over bestaan.'

Hij stond op. 'En één ding nog, Veum. Mocht het in je botte hersens opkomen om bijvoorbeeld de politie iets te vertellen, dan zou ik nog maar eens goed nadenken als ik jou was. Het water in de haven is om deze tijd van het jaar bar koud, Veum. Bar koud.'

Toen zakte hij weer terug in zijn stoel en greep hij zijn glas. De twee pinguïns begeleidden me naar buiten. Er viel niets aan te merken op de manier waarop ze dat deden. Ze bleven de hele tijd beleefd en vriendelijk. Ze deden alleen wat hun was opgedragen. Toen ik mijn jas aantrok, zei ik: 'Hoe zit het met mijn aquavit?' Een van hen ging naar binnen om mijn bijna onaangebroken fles op te halen en daarna brachten ze me naar buiten. Ze lieten me uit door de voordeur.

Ik wachtte niet op Sieverts. Dat had geen zin. Ik liep in mijn eentje terug naar het hotel. Beneden bij de haven zag het water er net zo koud uit als Ole Johnny gezegd had. Een auto reed langzaam langs de kade. Op de achterbank liet een vrouw in een lichtgrijze bontmantel een hoge, schelle lach horen, terwijl twee mannen iets zochten dat tussen haar benen verdwenen was.

Ik liep haastig en betrapte mezelf er verschillende keren op achterom te kijken. Ole Johnny had me niet alleen achterdochtig gemaakt, maar ook nerveus.

Voor de ingang van het hotel stond een taxi met draaiende motor en een dikkige jongen op de achterbank. Toen ik de receptie binnenkwam, botste ik bijna tegen Elsa op, die uit de bar kwam, de kraag van haar donkerbruine bontjasje opgeslagen. Ze keek me verbaasd aan. Toen glimlachte ze, een weifelende, onzekere lach. Haar ogen hadden iets donkers en onbestemds wat ik niet kon thuisbrengen.

Ze greep me plotseling bij mijn revers en kwam dicht tegen me aan staan. Ze keek omhoog naar mijn gezicht. Ze rook zoetig. 'Als je wilt,' zuchtte ze tegen me, 'dan ga ik nu met je mee naar boven. Ik kan... dan ga ik naar de taxi en zeg ik dat het niet doorgaat, dat er iets tussen is gekomen, dat ik plotseling...'

Ik pakte haar smalle polsen, keek in haar mooie, magere gezicht. Met aangeslagen stem zei ik: 'Ik... ik wil gewoon slapen en ik... ik heb morgen een drukke dag.'

Ze wilde zich met een ongeduldige beweging losrukken. 'Maar...' ging ik verder, 'de eigenlijke reden is... In feite is er iemand... die ik trouw wil blijven. Begrijp je?'

Ze keek me verbaasd aan. Toen knikte ze zwijgend, maakte zich los, trok haar schouders op, zwaaide kinderlijk naar me en haastte zich naar buiten naar de wachtende taxi. Ik wierp een blik op de wandklok. Het was net middernacht geweest.

De receptionist gaf me mijn sleutel met dezelfde veelzeggende blik als toen hij me eerder op de dag de boodschap van Solveig gaf. Misschien keek hij altijd zo.

Ik nam de lift naar boven. Voor de broodjesautomaat tegenover mijn kamerdeur kroop een grote vent over de vloer. Hij zocht kleingeld bijeen dat hij blijkbaar had laten vallen.

Toen hij mij zag, stond hij vloekend op. 'Kloterige rotmachine!' zei hij in onvervalst Sogn-dialect. 'De ene kroon na de andere gooi ik erin, maar denk je dat er boterhammen uit komen? Om de dooie dood niet!'

Hij stopte een paar kronen in het apparaat en drukte op een knop. 'Zie je dat daarbinnen? Die boterham wil ik hebben!' Hij wees door het ruitje naar een platte, in plastic verpakte boterham met verlepte sla en uitgedroogde worst erop. 'Maar wat denk je dat eruit komt?' Hij hield een hand vol pakjes kauwgum voor me op. 'Kauw-gommie!' zei hij. 'Kloterige rot-kauw-gommie!'

Er viel weer een pakje kauwgum in de la onderin de automaat en de man uit Sogn schopte hard tegen het apparaat, terwijl hij een knetterende vloek liet horen. De motor bromde vervaarlijk. Ik haalde mijn schouders op en ging mijn kamer binnen.

De kamer was donker en behaaglijk van temperatuur. De lakens waren koel en wit. Ik sliep binnen het kwartier.

14

Ik werd wakker van het geluid van regen en natte sneeuw tegen mijn raam. Het was een grauwe, troosteloze ochtend. Ik nam een warme douche en ontbeet op mijn gemak in een bijna lege eetzaal, die nu door een vouwwand was afgescheiden van de bar. Op de tafels lagen witte, keurig gestreken kleedjes. Op iedere tafel stond een zijden bloemstukje en het ontbijt was eenvoudig en continentaal. Ik bladerde een van de ochtendkranten door. Een grijnzende Ronald Reagan en een rimpelige, verweerde Jimmy Carter. Het leed geen twijfel wie de verkiezingen had gewonnen. De verkiezingsstrijd was dus voorbij, het voetbalseizoen over, het winterseizoen nog niet begonnen en de strips nog steeds dezelfde.

Ik trok mijn regenhoed diep over mijn ogen en zette de kraag van mijn jas op terwijl ik op weg ging naar Laura Losjes. Als ze echt vanuit haar woning opereerde, waren de ochtenduren waarschijnlijk het beste tijdstip van de dag om haar aan te treffen.

De natte sneeuw ging langzaam over in regen en op de binnenplaats met het oude vrachtwagenwrak spatte de aarde op onder de harde regen. Beschut onder het wrak staarde de gestreepte kater met gele ogen naar de natuurkrachten en naar de vreemdeling. Binnen schudde ik de regendruppels van mijn hoed en mijn jas. Ik haalde een hand door mijn haar en telde de biljetten in mijn portemonnee. Als het moest, zou ik voor het consult betalen.

In het halfduister liep ik op de tast naar boven en klopte weer aan op de deur boven aan de trap. Na een poosje klonken er onbestemde geluiden binnen in het appartement. Toen vroeg een groggy stem achter de deur: 'Wie is daar?'

'Veum.'

'Wie?'

'Mijn naam is Veum.'

'En wat kom je in hemelsnaam op deze tijd van de dag doen?'

'Mag ik binnenkomen?'

Er klonk gemompel achter de deur.

'Hallo?' zei ik.

'Ja, ja... niet zo zeuren. Ik moet even...'

De deur ging op een kier open en een getergd vrouwengezicht tuurde naar buiten. Laura Losjes was een verschoten blondine die tegen de veertig liep. De make-up van de dag ervoor lag als verouderd nieuws op haar gezicht. Veel meer kon ik niet zien. Achter haar ontwaarde ik een bruinig behang met fletsgroene lelies.

'Sorry dat ik je zo vroeg kom storen, maar... ik zal betalen.' Ik hield een paar biljetten omhoog.

Haar blik viel erop en ze kon haar ogen er moeilijk weer van loskrijgen. Toen haalde ze haar schouders op, deed de deur open en ging me voor het appartement in.

Ze droeg een roze onderjurk met smalle bandjes over haar schouders. Ze schuifelde blootsvoets over de vloer, gracieus als een drachtige sint-bernardshond.

De kamer was zowel slaapkamer als woonkamer. Op een breed bed lag rommelig beddengoed. Op de vloer stond een stapel oude schoenendozen, op de tafel naast het bed een halflege fles wodka. Door een halfopen deur zag ik een stukje van de keuken – en iets wat eruitzag als de afwas van de afgelopen veertien dagen.

Laura Losjes struikelde over enkele kledingstukken die op de vloer voor het bed lagen. Ze vloekte zacht en trok haar onderjurk over haar heupen omhoog toen ze ging zitten, met het dekbed in haar rug en het kussen gedeeltelijk onder zich. Ze zat met gespreide benen en ik zag dat ze niets onder de jurk aanhad. Haar naakte geslacht opende zich als een verlepte orchidee en ik sloeg mijn blik neer, maar niet zozeer uit preutsheid.

Ik nam plaats in een versleten leunstoel, haalde de foto van Arne Samuelsen tevoorschijn, die ik haar over de tafel heen aanreikte.

Ze staarde ernaar met ogen die moeite hadden met herinneren. 'Ja... en wat dan nog?' vroeg ze.

'Heb je die man wel eens gezien?'

Ze knikte vaag. 'Hij komt me wel bekend voor.'

'Wanneer was dat?'

Ze haalde haar schouders op. 'Joost mag het weten.'

'Dat doet hij ongetwijfeld. Wat dacht je van vorige week woensdag?'

'Woens... dag?' Ze zei het alsof dat ergens in de vorige eeuw was.

Ik zei: 'Maar jij komt zeker niet in zulke tenten als... die van Ole Johnny?'

'Kleine Ole?' Haar fletse ogen lichtten op en er verscheen even een soort hoonlach om haar mond. Ze had dikke lippen, die er droog en gebarsten uitzagen. Ze had een wondje in haar ene mondhoek. 'Nee, maar nu weet ik het weer... ik ben die woensdag meegegaan met wat lui die bij Ole Johnny waren geweest. Ze waren straalbezopen, allemaal, en er was maar één meisje bij, tot ik... Ik kende er eentje van, Smile Hermannsen wordt hij genoemd, omdat hij nooit lacht, er kan nog geen glimlach af. Een oude vrijgezel die zijn geld graag laat wapperen als hij uit is. Hij is al jaren een van mijn vaste klanten.'

'Smile Hermannsen? Hoe heet hij eigenlijk?'

'Joost mag het weten.'

'Dat ook al? Wanneer kan ik hem bereiken... of moet ik contact opnemen met zijn voorlichter?'

'Wie?'

'Joost mag het we...' Ik onderbrak mezelf en ging verder: 'Wie waren er nog meer bij?'

'Een van die... nieuwe. Niet een die daar werkt, bij Ole Johnny bedoel ik. Maar eentje die zich in de dure hotels laat oppikken. Jong, mooi... en zo koud als een vis.' Ze boog zich voorover. 'Die geven niet wat mannen willen hebben! Ze weten het niet. Daar moetje rijpere vrouwen voor hebben. Zoals... Wij weten wat jullie willen... tederheid, moederliefde, warmte, alles wat jullie niet...'

'Weet je hoe ze heet?'

Ze leek na te denken. 'Irene, geloof ik. Ik weet het niet meer. Ik heb me niet met haar bemoeid. Smile had mij gevraagd mee te gaan, maar toen de anderen luidruchtig begonnen te worden, zijn we weggegaan... en toen is hij met mij meegegaan... en toen hebben we het gezellig gemaakt, hier!' Ze sloeg met haar vlakke hand op het lichtgele laken.

'Wat bedoel je met luidruchtig?'

'Joost mag het... weten. Ik was zelf ook een beetje aangeschoten, maar ik hoorde dat ze ruzie maakten. Ik wil wedden dat het om dat meisje ging... het was er immers maar eentje en zij waren...'

'Ja, hoeveel waren er eigenlijk?'

Ze keek me glazig aan. 'Smile. En ik. Zij. En dan die vent die daar woonde... en nog twee. Dus we waren met z'n...'

'Zessen.'

'Juist', zei ze geërgerd. Ze keek verlangend naar de fles wodka, maar raakte hem niet aan.

'Maar wie waren het?'

'Dat heb ik toch gezegd! Jezus, wat een gezanik! Hij daar, op de foto, en die twee anderen.'

'Ja, hebben ze zich niet voorgesteld?'

'Nee', zei ze op een sarcastische toon. 'Dat hebben ze niet gedaan. Misschien vonden ze me niet chic genoeg. Voor mijn part was het de keizer van Amerika met zijn kroonprins.'

Ze staarde voor zich uit. Toen voegde ze eraan toe: 'Ik geloof dat er iets gebeurde. Er was in elk geval ineens een hels kabaal en toen zei Smile: "Kom op, Laura, we gaan ervandoor." En toen zijn we ervandoor gegaan.'

'En iedereen ging naar huis en was het erover eens dat het een geslaagde avond was geweest.'

Ze keek me weer glazig aan. 'Ja.'

'En die andere mannen had je nog nooit gezien?'

'Gezien en gezien. Ik bemoei me eerlijk gezegd niet zo met die oliemensen. Ik hou me bij m'n oude klanten, om het zo te zeggen. Boeren uit Jæren en vissers uit Ryfylke. En alle fraaie, hoge heren uit Stavanger natuurlijk! Allang voordat de olie naar de stad kwam, was er behoefte aan Laura Losjes... en ik sta nog steeds mijn mannetje, als 't moet.'

'Je... mannetje?'

'Ja! Zeg... waar blijft dat geld dat je me beloofde?'

Ik pakte de biljetten, twee briefjes van honderd, en bleef ermee in mijn handen zitten. Ze hield haar ogen er strak op gericht. Ik bedacht of ik nog meer te vragen had. 'En daarna heb je hem niet meer gezien?' vroeg ik ten slotte.

'Wie gezien?'

Ik wees vermoeid naar het fotootje. 'Hem.'

'Nee, waar zou ik hem gezien moeten hebben? Hij heeft zich trouwens ook niet voorgesteld.'

'O nee. Nee, precies. Hier, en bedankt voor je hulp.' Ik gooide de biljetten op het tafeltje. Ze verdwenen meteen onder het dekbed.

Laura Losjes haalde twee knokige handen door haar warrige haar. De adertjes op haar handen vormden een duidelijk patroon en haar huid was rimpelig. 'Wat een leven!' viel ze uit. 'En dan komen ze je ook nog op deze tijd van de dag wakker maken!'

Ik stond op. 'Nogmaals... het spijt me. Slaap lekker verder, Laura. Ik kom er wel uit.'

'Pas op dat je niet van de trap valt en je nek breekt.'

'Ik zal voorzichtig doen.'

Ik deed de deur open. Achter me hoorde ik haar hees fluisteren: 'Vuile krent.'

Ik antwoordde niet, deed de deur achter me dicht... en liep naar beneden.

Het regende nog steeds onafgebroken en met gebogen hoofd rende ik naar de dichtstbijzijnde portiek. Daar bleef ik staan, in de hoop dat er een taxi voorbij zou komen. Die kwam niet, maar ik kon de informatie die ik had gekregen overdenken. Ik boekte in elk geval enige vooruitgang. Twee nieuwe namen – en de grote lijnen van wat er was gebeurd.

Mijn volgende halte zou weer het appartement van Arne Samuelsen zijn. Deze keer zou ik wat grondiger rondkijken, nu ik iets meer houvast had.

15

Tegen de tijd dat ik terug in het havenkwartier was, was ik van mijn knieën tot mijn voeten doorweekt en voor de rest ook behoorlijk nat. In het trapportaal stond mevrouw Eliassen een groene paraplu uit te schudden. "t Is godgeklaagd!' viel ze uit toen ze mij zag.

'Wat?'

'Het weer natuurlijk. Wat anders?' Ze keek me argwanend aan. 'Komt u de huur betalen?'

'Eh... ja. En ik wilde nog even boven kijken... alles wat beter in me opnemen.'

'Dus u heeft hem nog niet gevonden?'

'Nee, helaas. U heeft ook nog niets van hem gehoord?'

'Nee, natuurlijk niet. Daar past hij wel voor op.'

'Dus als ik...' Ik verplaatste mijn blik naar de trap.

'Ik heb vandaag geen tijd', zei ze opstandig. 'Ik moet schoonmaken en ik kom net uit de stad, dus ik heb een heleboel te...'

'Als u me de sleutel geeft, zal ik u verder niet storen.'

'U denkt toch niet dat ik de sleutel zomaar aan een vreemde geef?' Ze keek me vijandig aan. 'Ze gaan er hier tenslotte ook zonder te betalen vandoor.'

'Ik zal echt voor hem betalen. Nu meteen, als u...'

'Nou ja. Veel schade kunt u niet aanrichten... Ik doe de deur wel even voor u open.' Ze pakte haar sleutelbos. Op weg naar boven zei ze: 'U weet het bedrag nog... twaalfhonderd kronen?'

'Hoe zou ik dat kunnen vergeten?'

'Wat bedoelt u?'

'Ik bedoel... ik weet het nog.'

Ze stak de sleutel in het slot en draaide hem om. Ze kreeg een verbaasde uitdrukking in haar ogen, trok de sleutel er weer uit en bekeek hem. 'Hm', zei ze.

'Is er iets?' vroeg ik.

'Nee. Het is de goeie sleutel, hij gaat alleen een beetje... stroef.' Ze stak hem nogmaals in het slot. Deze keer lukte het en de deur ging open. Ze keek naar binnen. Het appartement zag er nog hetzelfde uit als de vorige keer. 'Nou...' zei ze, ze hield haar hand op alsof ze voelde of het regende. Haar blik was niet mis te verstaan.

Ik telde zes briefjes van honderd uit en gaf die aan haar. De bodem van mijn kas kwam al in zicht en dan had ik nog geen øre aan het hotel betaald.

'Ja... en verder...' zei ze.

'Nou... laten we eerlijk zijn... eigenlijk is het niet meer waard, hè... het appartement?'

'Hoor eens, jongeman... de vraag is niet wat het waard is, de vraag is wat ze ervoor willen betalen.'

'Oké, oké. Maar ik heb momenteel niet meer geld bij me. Op de rest moet u nog even wachten... tot morgen.'

'Maar u zei...'

'Ik heb me verrekend.'

Ze keek naar de lege kamer, naar de zes briefjes van honderd en weer naar mij. De zes honderdjes wonnen en ze zei: 'Nou... ik ben hier beneden... en ik hoor alles wat er gebeurt, dus...' Ze maakte haar zin niet af, maar keek me met een veelzeggende blik aan. Daarna daalde ze de trap weer af en ik ging Arne Samuelsens appartement binnen. Toen ik

93

over de drempel stapte, sloeg de koelkast aan, als een soort signaal.

Ik bleef midden in de kamer staan en keek om me heen. Alles was nog hetzelfde, er was niets veranderd. De punaise van de tekening van het booreiland was nog steeds weg. Ik maakte de hangkast open. Ik doorzocht de zakken van alle kostuums, maar vond alleen een onbeduidend bedrag aan kleingeld, een paar oude kassabonnen en een identiteitsbewijs van de PTT. Ik bekeek de pasfoto. Het was Arne Samuelsen, geen twijfel mogelijk. De kaart was twee jaar oud en de foto was recenter dan die ik had.

Ik keek achter de schoenen en de laarzen, maar er lag niets op de bodem van de kast.

Vervolgens ging ik naar de commode. Het resultaat was hier niet veel beter. Er zat duidelijk systeem in de manier waarop de kledingstukken waren opgeborgen. Ondergoed apart, sokken en overhemden bij elkaar. Ik tastte tussen alle kleren. Achterin de onderste la vond ik een half flesje whisky, ongeopend. In een hoekje van dezelfde la lag een bundeltje brieven. Ik bladerde er snel doorheen. Ze waren allemaal in hetzelfde handschrift geschreven, allemaal van zijn moeder.

Ik deed de laden weer dicht en keek om me heen. De kamer leek verder geen bergplaatsen meer te bevatten. Voor de zekerheid voelde ik achter de divan en keek eronder. Er lag niet eens stof.

Ik draaide de televisie om en bekeek de achterkant. Ik zou de deksel eraf kunnen schroeven en er binnenin kijken, maar dat had geen haast.

Ik ging naar de keuken. Ik klom op het aanrecht en onderzocht de bovenste planken van de keukenkast. Niets van belang. Een paar oude eierdopjes en drie lege koekblikken. Wat lager trof ik oploskoffie, zakjes soep en een reep melkchocolade aan. Arne Samuelsen leidde een eenvoudig leven wat voeding betreft, als hij thuis was in ieder geval.

Ik ging verder naar beneden en onderzocht het aanrecht. Ik trok de ene la na de andere open, zonder enig resultaat. Ik begon de moed op te geven. Mijn rug deed pijn en ik had een paar beurse knieën.

Ik deed het gootsteenkastje open. Daar lag iets: een stapel van vier, vijf roosters, allemaal even groot. Het duurde een paar seconden voor ik begreep wat het was. Het waren de schappen uit de koelkast achter me.

Ik zat op mijn hurken op de vloer en richtte me op. Ik merkte vaag nog de beweging achter me, maar het was te laat om iets te doen. Mijn achterhoofd werd geraakt door een hard en rond voorwerp, vlak achter mijn oor, en mijn hoofd vulde zich met licht: fel, wit licht.

16

De stemmen kwamen van ver weg. *Ik heb de politie gebeld, jullie kunnen...* Ik kreunde. *Shit, hij komt bij...* Er klonk lawaai en door een mist van pijn hoorde ik gehijg en een verbolgen vrouwengil. Toen sloeg er een deur en werd alles weer stil en aangenaam en donker. Ik werd ineens wakker. Het gezicht van mevrouw Eliassen was veel te groot. Ik zag de open poriën in haar perkamentachtige huid, de omtrek van een levervlek onder haar ene oog. Ze sloeg me in mijn gezicht. 'Niet doen,' hapte ik naar adem, 'ik...'

'Wakker worden, kom op! Sta op, de politie komt eraan, u kunt hier niet blijven liggen. Wat is er gebeurd?'

Ik keek om me heen. Het plafond boven me was scheef, de wanden sloegen als tentdoek in harde wind. Het gezicht boven me kromp. Ze was opgestaan. Het was net of ze tegen het plafond zweefde, als een ballon. Met mijn hand tastte ik langs het aanrecht en ik greep de rand van een van de laden vast. Ik probeerde op te staan. Steunend op mijn andere arm kwam ik uiteindelijk op mijn knieën terecht.

'Het waren twee gemaskerde mannen. Ik zou nu toch werkelijk wel eens willen weten wat er hier gebeurt. Ze moeten binnen zijn gekomen toen ik... Ik hoorde lawaai en toen ik bovenkwam... Ze duwden me opzij zodat ik viel, ik had mijn heup wel kunnen breken.'

Ik bleef op mijn knieën zitten. 'Ge... gemaskerd?'

'Net als op de tv... met een nylonkous over hun hoofd. Nu ben ik echt blij dat hij vertrokken is, die Samuelsen, als dit...'

'Zijn spullen zijn er nog.'

'Ja, ja.' Met onverwachte zelfopoffering zei ze: 'En de huur kan me ook gestolen worden. Ik wil het niet meer hebben... dat geld.' Het viel me op dat ze niet repte over de zeshonderd kronen die ze al had gekregen.

Ik richtte me verder op, steunend op het aanrecht. Ik wreef met mijn hand over mijn achterhoofd. Het deed pijn. Mijn hoofd was zwaar. Mijn knieën waren slap. Maar ik bleef staan. Ik zei: 'Zei u... had u de politie gebeld?'

Ze schudde haar hoofd. 'Nee, dat zei ik alleen maar... anders hadden ze me misschien wel vermoord.'

Ik knikte.

Ze ging verder: 'Waarom... wat kwamen ze...'

'Ik heb geen idee. Ik wilde net...' Ik keek om me heen, probeerde het me te herinneren. 'Ik had net...' Ik herinnerde me de roosters in het gootsteenkastje. Ik keek naar de grote koelkast, die ineens geheimzinnig leek uit te puilen.

Mevrouw Eliassen liep langs me de keuken uit. 'Maar nu ga ik ze wel bellen. Dit is een inbraak... en een overval en...'

Ik keek haar na. Toen wendde ik mijn gezicht weer naar de koelkast. Het was een groot, ouderwets model.

Ik opende de deur.

Nu begreep ik waarom de roosters uit de koelkast in het gootsteenkastje lagen. De koelkast was bijna geheel gevuld.

De vrouw in de koelkast was naakt. Om erin te passen was haar lichaam dubbelgevouwen, als een zakmes. Ze hield haar armen boven haar schouders, alsof ze haar hoofd wilde beschermen. Onder in de koelkast lag een donkere plas gestold bloed en een sterke, weeë rottingslucht kwam me tegemoet.

Ik kon het niet aanzien. Een hevige misselijkheid steeg

op uit mijn buik en ik werd draaierig. Ik zakte naar voren en duwde de koelkastdeur weer dicht. Ik leunde tegen de koude kast, terwijl mijn vingers zinloos over het gladde oppervlak tastten. Ik had kippenvel over mijn hele lichaam en rilde.

Toen de misselijkheid mijn mond bereikte, wierp ik me over de gootsteen. Ik spuugde als een geiser, het golfde uit me en toen mijn maag leeg was, bleef ik nog een hele tijd staan kokhalzen, tot ik uiteindelijk alleen nog naar lucht kon happen. Mijn achterhoofd bonsde en mijn hele lichaam voelde ziek en beurs aan. Ik bleef boven de gootsteen hangen.

Ik draaide de kraan open en liet het koude water over mijn hoofd stromen – stromen en stromen en stromen. Ik wreef mijn gezicht met mijn handen, hard en lang. Toen ging ik voorzichtig rechtop staan.

Ik keek niet naar de koelkast. Ik liep erlangs naar de kamer. Daar liet ik me op de divan vallen, en wachtte op de politie.

17

De regen kletterde niet langer tegen het raam. Buiten op straat hoorde ik kinderen roepen. Hun stemmen weerkaatsten tegen de natte straatstenen en verdwenen als verschrikte vogels boven de daken van de huizen. De kinderen liepen verder. De regen prikte nu met voorzichtige naalden tegen de ruiten. Het appartement had ineens een nieuwe betekenis gekregen. De lege kamer was een grafkamer geworden.

Mevrouw Eliassen kwam de trap weer op. Ze was buiten adem. 'Ik heb ze gebeld', zei ze. 'Ze zouden...' Ze stopte. 'Maar... maar wat ziet u eruit! Zal ik...' Ze liep naar de keuken. 'Ik zal een glas water voor u halen, dan...'

'Nee!' riep ik. 'Stop...'

Ze bleef met een verbaasd gezicht voor de keukendeur staan. 'Wat...'

'Niet... naar binnen gaan.' Ik slikte. 'Er ligt... er ligt daar een lijk.'

Ze keek argwanend naar de keuken. 'Daar... maar...'

'In de koelkast', zei ik mat.

'Nu geloof ik toch echt dat u gek bent geworden... er is toch geen plaats voor...'

Plotseling borrelde de woede in me op. 'O nee? Ga dan zelf kijken! Toe maar... en veel plezier. Ik blijf hier.'

Ze schoof weifelend weg van de keukendeur, alsof ze bang was dat het lijk naar buiten zou komen wandelen. 'Ik kan misschien beter...'

Ik kwam weer tot rust. 'Ja, dat denk ik ook. Laten we maar wachten... tot de politie komt.'

Ze keek me met een vinnige uitdrukking aan. 'Ik ga beneden koffie zetten. Dat kunnen we wel gebruiken, allemaal. Hoe dan ook.'

Ze liep naar buiten.

Ik bleef zitten. Mijn gedachten begonnen weer op gang te komen.

Een vrouw? In de koelkast?

Ik schudde mijn hoofd. Ik had al verschillende lijken gezien en geen van allen waren ze bijzonder fraai geweest. Maar dit sloeg alles.

Buiten stopte een auto. Direct daarna hoorde ik zware voetstappen op de trap. Twee agenten in gevechtstenue, met knuppel en gaspistool aan hun riem, kwamen binnen.

'Heeft u gebeld?' vroeg de ene bars.

De ander keek op me neer. 'Voelt u zich niet goed?'

'Het is nog erger dan het eerst leek', zei ik.

'O?'

'Kijk maar eens even in de koelkast.'

'Wie bent u?' vroeg de ene achterdochtig. Hij had blond, glad haar en een vlassig snorretje.

'Mijn naam is Veum en ik...'

De ander was naar de keuken gegaan en riep iets. Toen verscheen hij in de deuropening: een magere, pezige kerel, zeker een meter vijfentachtig lang, met een uitdrukking op zijn gezicht als een ongeopend conservenblik. 'Een lijk', zei hij.

'Wat verdomme?' viel de ander uit en liep langs hem de keuken in. De koelkast ging weer open. Het koude licht vulde de deuropening. Ik stond op en deed voorzichtig een paar passen naar voren, niet zeker of mijn benen me zouden dragen.

De politieagent in de keukendeur zei scherp: 'Waar gaat u heen?'

De ander verscheen achter hem. Zijn gezicht was net zo bleek als zijn haar. 'U blijft hier', zei hij. 'Dit moet...' Hij wendde zich tot zijn collega: 'Bel het bureau. Dit moeten de anderen overnemen.'

De lange, pezige agent knikte. Mevrouw Eliassen kwam met een zorgelijk gezicht binnen. De politieagent vroeg: 'Kan ik uw telefoon gebruiken?'

Ze knikte en droogde haar handen aan haar schort. 'Ik loop wel even mee.'

Ze verdwenen. De blonde politieagent staarde mij aan. Ik staarde terug. We zeiden geen van beiden een woord. Er viel niets te zeggen.

Na een tijdje kwam de ander weer boven. 'Bertelsen komt zelf. We moesten gewoon wachten, zei hij. En erop letten dat er niets wordt aangeraakt.'

Ik liep naar het raam en staarde naar buiten. Hun ogen prikten in mijn rug, maar ik draaide me niet om. Er liep een oudere dame langs, ze droeg een zwarte mantel, een bruine boodschappentas en een opengevouwen paraplu met een blauwgroen patroon. Ze liep behoedzaam over de kinderkopjes en zette haar voeten ver uit elkaar om in evenwicht te blijven. Ik volgde haar met mijn blik tot ze aan het einde van de straat verdween.

Ik bleef bij het raam staan en zag nog twee auto's voor het huis stoppen. Er sprongen een paar politiemannen in burger uit. Ze keken naar mij omhoog voor ze het huis ingingen.

De man die als eerste binnenkwam, had een lang, smal gezicht en droeg een lichtbeige jas. Hij knikte kort naar de twee politieagenten en keek mij een seconde of twee onderzoekend aan. Ik stond nu met mijn rug naar het raam en het water drupte nog uit mijn natte haar.

Hij was eind veertig. Zijn lippen waren smal, zijn ogen koud en taxerend en zijn magere gezicht leek versteend. Hij sprak kortaf, onderkoeld. Hij vroeg een van de agenten: 'En, waar is het?'

De agent wees naar de keuken. Er kwamen nog meer mensen de kamer binnen.

'Johansen, jij gaat met me mee. Fredriksen... jij blijft hier.' De man met het smalle gezicht knikte in mijn richting, om Fredriksen duidelijk te maken waarom hij hier moest blijven.

Fredriksen was een enigszins gezette, kromme man, die asymmetrisch gegroeid was, zodat zijn lichaam iets weg had van een peer. Johansen was een rusteloze, magere man met donker haar en zware baardstoppels.

De man die de orders gaf, had zijn haar dwars over zijn schedel gekamd, met een rechte scheiding vlak boven zijn linkeroor. Zijn haar kapte zijn langwerpige gezicht van boven af, dat daardoor een uitgerekte U vormde. Hij verdween met Johansen naar de keuken.

Fredriksen kwam naar me toe en ik zei: 'Ik neem aan dat dat Bertelsen was?'

Fredriksen keek mij onbewogen aan. 'Inderdaad.'

Een klein mannetje met een donkere hoornen bril, een vlinderstrikje en een snorretje kwam binnen met een kleine zwarte tas in zijn hand. 'Wat hoor ik?' vroeg hij aan niemand in het bijzonder. 'Fredriksen... is het waar?'

Fredriksen haalde zijn schouders op. 'Ik heb geen idee wat er aan de hand is. Ze zijn daarbinnen.' Hij knikte naar de keuken en de man met de tas verdween ook die kant op. Het moest daar nu tamelijk vol zijn. Alleen Fredriksen, de bleekblonde agent en ikzelf waren nog in de kamer. Mevrouw Eliassen had zich niet meer vertoond. Misschien voelde ze zich niet goed.

Fredriksen keek me nieuwsgierig aan. 'Hebben ze je neergeslagen?'

Ik knikte.

'Heb je gezien wie het gedaan heeft?'

Ik schudde mijn hoofd. 'Het ging veel te snel en mevrouw Eliassen... de hospita zegt dat ze gemaskerd waren.'

'Dus zij heeft ze gezien?' zei hij met een lichte teleurstelling in zijn stem.

'Ja, maar ik voel ze nog... op mijn achterhoofd.'

De andere politiemannen kwamen beurtelings terug naar de woonkamer. Het lijk was geen lachertje. Ze zagen er allemaal even geschokt uit. Ten slotte waren alleen Bertelsen, Johansen en de man met de zwarte tas nog in de keuken.

Mevrouw Eliassen dook weer op, met een thermoskan in haar ene hand en een paar kopjes in de andere. De kopjes rinkelden en toen ze zag hoeveel mensen er waren, schudde ze vertwijfeld haar hoofd. 'Heremetijd!' zuchtte ze diep en haar blik zocht het enige bekende gezicht dat er was – het mijne.

Johansen kwam terug uit de keuken, hij zag zo bleek dat hij as op zijn kin leek te hebben in plaats van baardstoppels. 'Mijn God!' zei hij tegen Fredriksen. 'Moet je eens gaan kijken.'

Fredriksen keek onwillig naar mij. Toen volgde hij de aansporing op.

De politiemannen stonden in kleine groepjes te mompelen. Niemand leek iets te willen doen. Mevrouw Eliassen was radeloos op de rand van een stoel gaan zitten. Ze had zichzelf koffie ingeschonken en zat met haar kop en schotel op schoot. Ik haalde een zakdoek tevoorschijn en begon mijn haar af te drogen. Nu pas merkte ik dat mijn overhemd rond de kraag en op de schouders nat was.

De drie mannen kwamen terug uit de keuken. Fredriksen leek wagenziek. Bertelsens gezicht was nog smaller geworden. De snor van het kleine mannetje met de zwarte tas vibreerde zwak, maar zijn stem klonk gedempt en schijnbaar onaangeslagen. Hij zei: 'Het is een vrouw. Veel meer kan ik voorlopig niet zeggen.'

'Een vrouw!' gilde mevrouw Eliassen ineens. 'In de koelkast!'

Bertelsen keek haar met zijn koude ogen aan. 'Ja, en het zal niet gemakkelijk zijn haar te identificeren.'

'Wat bedoelt u... daarmee?' vroeg ik.

Bertelsen richtte zijn blik op mij. Ik kreeg er koude rillingen van over mijn rug. Het was volkomen stil geworden in de kamer. Iedereen keek Bertelsen aan, maar Bertelsen keek nog steeds naar mij.

'Omdat,' zei hij, 'omdat haar hoofd ontbreekt.'

Mevrouw Eliassen viel met een stille zucht opzij in haar stoel en gleed op de vloer, met ongeveer hetzelfde geluid als van een vogel die opvliegt van een boom een eind verderop.

18

Mevrouw Eliassen was naar haar eigen woning gedragen. Fredriksen was meegegaan om een eventuele verklaring te noteren. De arts was vertrokken, nadat hij had afgesproken in de loop van de dag een voorlopige lijkschouwing uit te voeren. Ik had toestemming gekregen om op de divan plaats te nemen. Bertelsen en Johansen zaten in de twee stoelen.

Bertelsen zei: 'En wie bent ú eigenlijk?'

Ik stelde mezelf voor en vertelde wat ik deed.

Johansen floot geluidloos met gespitste lippen. Bertelsen keek alsof hij bedorven eten had geproefd. Hij zei strak: 'En wat deed u hier?'

'Ik zoek degene die hier woont. Arne Samuelsen.' Ik vertelde hun kort over mevrouw Samuelsen en haar ongerustheid met betrekking tot haar zoon in Stavanger.

'En wanneer moet hij weer naar het platform?'

Ik telde snel op mijn vingers. 'Als ik me niet vergis... vrijdag.'

'En vandaag is het woensdag.' Tegen Johansen zei hij: 'We moeten een opsporingsbericht uitsturen.' Johansen knikte en noteerde. 'Heeft u een foto van hem?'

Ik gaf hem de foto die ik van mevrouw Samuelsen had gekregen. 'Ik hoop dat ik hem terug kan krijgen. Zijn moeder...'

'Natuurlijk. Maar u heeft hem zelf niet meer nodig. U

bent klaar met deze zaak, Veum... in elk geval tot nader order.'

'Ja, daar ziet het naar uit. Maar ik kan u misschien nog wat meer vertellen.'

Hij keek me afwachtend aan.

'Ik weet niet veel meer dan wat mevrouw Eliassen me verteld heeft, dus zij zal het wel bevestigen.' Toen vertelde ik hem over het feest dat vorige week woensdag had plaatsgevonden en dat mevrouw Eliassen alleen Laura... eh... Ludvigsen had kunnen identificeren.

'Losjes?' onderbrak Johansen me met een grijns.

'Ja, zo schijnt ze genoemd te worden.' Ik vertelde dat ik deze Laura... eh... Losjes bezocht had en dat ze me de namen van nog twee personen had gegeven, Smile Hermannsen en een vrouw die ze alleen maar Irene had genoemd. 'De enige andere vrouw in het gezelschap', eindigde ik.

Johansen wendde zijn hoofd automatisch naar de keuken. Niemand had een poging gedaan de vrouw daar weg te halen. Bertelsen staarde me aan één stuk door aan. Hij zei: 'En toen... bent u hier teruggekomen? Waarom?'

Ik haalde mijn schouders op. 'Ik weet het niet. Ik wilde nog wat beter rondkijken, misschien kon ik een aanwijzing vinden, iets waaruit viel op te maken waar Arne Samuelsen misschien gezocht kon worden.'

'En? Heeft u iets gevonden?'

Ik schudde mijn hoofd. 'Ik werd...' Ik maakte een wanhopig gebaar.

'Ja? U werd... verrast?'

'Ja. Ze moeten al binnen zijn geweest. Mevrouw Eliassen zei dat ze boodschappen had gedaan. Ze hoort altijd alles wat er gebeurt. Ze moeten gehoord hebben dat ik binnenkwam en zich in het achterste kamertje hebben verscholen... de slaapkamer. Toen ik de keuken doorzocht en met mijn rug naar ze toe stond... Tja... het zei gewoon pang.'

'En toen?'

'Als mevrouw Eliassen er niet was geweest...'

'Heeft u ze gezien?'

'Nee. Maar mevrouw Eliassen zegt...'

'Haar zullen we nog ondervragen', onderbrak hij me nors. Toen boog hij zich voorover. 'Wat denkt u eigenlijk dat er gebeurd is, Veum?'

Ik staarde hem aan. 'Dat...'

'Ik vraag het niet omdat ik het zelf niet begrijp. Maar het kan interessant zijn uw visie te horen.'

'Er is blijkbaar iets gebeurd op dat feestje. Maar ik kan me niet voorstellen... Het enige dat ik kan... Er ligt een vrouw in de koelkast. Zonder hoofd. Als ze die avond vermoord is, dan duidt alles erop dat het die... Irene is. Ze konden het lijk niet diezelfde nacht wegwerken. Samuelsen wist uit ervaring hoe goed mevrouw Eliassen overal op let. Dus hebben ze alleen... het hoofd meegenomen.'

'Ze?'

'Ja, of hij, of...'

'U impliceert met andere woorden dat deze Arne Samuelsen medeschuldig is aan...'

'Als ik mijn zinnen nu eens mocht afmaken! Zou dat kunnen? Ik impliceer helemaal niets, behalve dat iemand, of een aantal mensen, het hoofd hebben meegenomen om een eventuele identificatie te verhinderen, of in ieder geval te vertragen. Met het plan om de rest later op te halen. Ze hebben haar dubbelgevouwen, de roosters uit de koelkast gehaald en haar erin gepropt. Het is toch afschuwelijk!'

Johansen knikte instemmend. 'Luguber.'

Bertelsen zei: 'Maar ondanks alles niet erg problematisch. Het is een grote koelkast. We zullen de feestgangers opsporen en ze door de mangel halen. Dat zou niet zo moeilijk moeten zijn. En dan krijgen we het hele verhaal er heus wel uit.' Na een korte pauze zei hij: 'En u kunt ons dus geen aanwijzingen geven voor wat betreft... deze Samuelsen?'

'Nee. In dat geval zou ik hier niet zitten. Maar misschien... als jullie het eens in die tent van Ole Johnny probeerden.'

'Zeker. We zullen er een kijkje nemen.' Met een vleugje temperament in zijn stem voegde hij eraan toe: 'Denk maar niet dat u ons iets nieuws verteld hebt, Veum. We kennen die speelholen, maar op dit moment is de situatie in Stavanger zo, dat het voor ons eenvoudiger is om ze in stand te houden, dan dat het allemaal stiekem gebeurt. Nu weten we welke huizen we in de gaten moeten houden en als ze er niet waren... Anders zouden we al dat schorremorrie buiten op straat hebben. In feite is het een manier om de criminaliteit onder controle te houden.' Om een mogelijk verder debat af te kappen stond hij op. 'Waar kunnen we u bereiken, Veum?'

Ik vertelde in welk hotel ik logeerde. 'Maar ik zal zijn moeder op de hoogte moeten stellen, dus ik wilde weer naar Bergen gaan zodra ik...'

'Niet voor wij nog een keer met elkaar hebben gesproken. U blijft in ieder geval tot morgen hier.'

'Betalen jullie mijn verblijf dan?'

Hij staarde me aan. Toen verliet hij de kamer, zonder verder commentaar.

Johansen was ook opgestaan. Hij haalde zijn schouders op. 'Wat zullen we daarop zeggen?' zei hij.

Ik stond moeizaam op. 'Tja.'

Hij keek alsof hij iets wilde vragen. Maar hij zei niets. Ik liep naar de deur, voorzichtig, bang dat hij me tegen zou houden.

Maar niemand belette me te vertrekken. Met knikkende knieën liep ik de trap af, de frisse lucht in, de steile straat in, de schaduw van de grote brug af en de hoek om. Toen pas bemerkte ik de grote, natte vlokken sneeuw in mijn gezicht, de wind die om mijn benen raasde en de dagelijkse geluiden die weer langzaam mijn hoofd binnendrongen.

19

De novembermist dreef grauwwit en wollig vanuit het westen landinwaarts. Ik liep langs de kade terug naar het hotel. Ik was de eerste schok te boven en kreeg mijn gedachten weer op een rijtje.

Ik was naar Stavanger gekomen om een man te zoeken die Arne Samuelsen heette. In plaats daarvan had ik in zijn koelkast een onthoofde vrouw aangetroffen. Wie was deze vrouw? Wat was haar overkomen? En wanneer? Die noodlottige woensdag toen Arne Samuelsen voor het laatst was gezien? Was hij verantwoordelijk voor wat er gebeurd was... en was hij daarom onvindbaar? En de andere feestvierders? Wie waren dat?

Het waren veel vragen en ik mocht er niet één van stellen.

Ik bleef aan de kade staan. Het water spoelde grauwzwart en beslist niet uitnodigend langs de kant. Het stonk sterk naar afgewerkte olie. Naast een verrotte plank dreven een halfvergane kool met een sluier van vies bruin schuim, een gebruikt condoom, een lege fles met een goudkleurige draaidop en een sinaasappelschil: de magere resten van een genoeglijke avond, misschien.

Naast me bleef een man staan. Ik keek naar zijn gezicht. Dat was groezelig en grauw, met grijswitte stoppels van een drie dagen oude baard. Hij had tabakssap in zijn mondhoek, gesprongen adertjes op zijn neus en zijn tanden leken op vieze kiezelsteentjes. 'Zoek je wat?' vroeg hij.

Hij droeg een grijze pet met een klep, een grijsbruin jasje, een vale zwarte broek en zwarte schoenen met kapotte neuzen. Het water droop van de klep en zijn magere lichaam huiverde van de kou.

'Nee', zei ik.

'Heb je een paar kronen voor een kop koffie?'

Ik knikte, haalde een vijfkronenstuk tevoorschijn en gaf dat aan hem. Hij bedankte en sjokte verder, met de schokkerige bewegingen van een lemming.

Ik keek om me heen. De mist hulde de stad in een sluier van barmhartigheid. Het contrast tussen de oude bebouwing en de nieuwe betonblokken vervaagde. Het lage stadsprofiel werd duidelijker – omdat het meer profiel werd dan landschap. En daarboven was de lucht. Het was niet als in Bergen, waar altijd de contouren van de omringende bergen aanwezig waren. Hier zag je in de verte alleen de rafelige rand van de bergen in het oosten en hing de grauwe lucht slap tussen de hoogste gebouwen, als de buik van een uitgemergelde straathond.

Toen ik in het hotel kwam, was er een andere receptionist, met een nieuwe boodschap uit Bergen: Solveig had gebeld. Meer niet.

Ik bedankte, kreeg mijn sleutel en ging naar mijn kamer. Die was schoon en koud. Ik pakte de halve fles aquavit die ik de vorige avond van Ole Johnny had meegenomen. Ik schonk het glas uit de badkamer halfvol en nam een slok. Dat warmde op.

Mijn overhemd was nog niet helemaal droog, maar ik had geen zin om een ander aan te trekken. Ik ging op de bank zitten, pakte de telefoon en draaide haar nummer in Bergen.

Toen ik naar haar vroeg, zei de telefoniste: 'Een ogenblik.'

Er verstreken een ogenblik of twee, toen was ze er. Haar stem klonk zo helder alsof ze naast me op de bank zat, met alleen een lichte waas van telefoonstem, een metalen klank in de vocalen. 'Ja, hallo? Met Solveig Manger.'

'Hallo. Ik ben het.'

'O, hallo!' Ze klonk blij. 'Jij bent ook niet makkelijk te pakken te krijgen. Heb je het druk?'

'Ja, het was nogal... hectisch.'

'Heb je hem gevonden, die jongen waar je naar op zoek was?'

'Nee. Nog niet, niet...'

'Is er iets?'

'Nee, ik... ik mis je!'

Een korte pauze. 'Dus je weet niet wanneer je terugkomt?'

'Nee. Mis je mij ook?'

'Ja, natuurlijk.' Het klonk zo gemakkelijk, als zij het zei. Weer een pauze. Toen zei ze: 'Maar... er...'

'Ja?'

'Nee.'

'Wat wilde je zeggen?'

Weer een pauze. Ik slikte. Toen haar stem terugkwam, was haar intonatie nog even luchtig. 'Als je terug bent moeten we eens samen praten, goed?'

'O ja?'

Stilte. Ik staarde naar mijn glas. In een flits zag ik de dubbelgevouwen vrouw in de koelkast. Ik viel uit: 'Je mag me nooit verlaten, Solveig!'

'Dat moet je niet zeggen... Je weet dat ik altijd...'

'Ik heb je nodig.' Ik herkende mijn eigen stem nauwelijks.

'Ik zal altijd van je blijven houden, Varg, maar... Maar kunnen we dat niet bespreken als je terug bent?'

'Ja, we...' Ik had een strakke, ijzeren band om mijn hoofd, zwarte vlekken voor mijn ogen, een wafelpatroon in mijn verhemelte.

'Pieker er maar niet over. Kom veilig terug... hierheen, hè... Varg?'

Ik slikte en slikte.

'Varg?'

'Ja, ja. Oké. Dag Solveig... tot... horens.'

'Dag Varg.' Haar stem was warm en wanhopig tegelijk, gespannen en triest.

'Dag Solveig.'

Ik hing op. Ik staarde naar de grijze telefoon, alsof ik verwachtte dat ze terug zou bellen. Maar de telefoon zweeg. Ik greep mijn glas en dronk het leeg. Ik schonk nog een glas in, deze keer vol. Ik leegde het in drie grote teugen. Het brandde in mijn maag en mijn lichaam schokte. De warmte verspreidde zich als rode vangarmen van mijn maag omhoog naar mijn borst en omlaag naar mijn liezen.

Ik zocht het telefoonnummer van mevrouw Samuelsen op. Ik draaide het en wachtte terwijl de telefoon overging – twee keer, drie keer, vier. Ik zag haar kleine, donkere woning voor me, tegen de Dragefjell aan, een oude vrouw, slecht ter been, die over de vloer schuifelde. Toen werd de hoorn opgenomen en haar stem zei: 'Goeiendag, met Samuelsen.'

'Dag mevrouw Samuelsen', zei ik. 'Met Veum. Ik bel uit Stavanger.'

'Ja? Heeft u hem gevonden? Is er...'

'Nee, helaas. Ik kan niet zeggen... ik heb hem niet gevonden. En de politie... heeft me van de zaak afgehaald.'

'De politie? Maar ik...'

'Er is iets gebeurd.'

'O God!' Na een korte, beklemmende stilte zei ze mat: 'Is er... iets met Arne gebeurd?'

'Nee, nee, maar wel met... met een vrouw.'

'Een vrouw!' riep ze uit.

'En hij... uw zoon is er waarschijnlijk bij betrokken.'

'Arne... betrokken... bij wat?'

'De politie zal het u allemaal vertellen, mevrouw Samuelsen, en Arne wordt gezocht... als getuige.'

'Getuige... voor wat?'

'Ik heb in zijn appartement een dode vrouw gevonden, toen ik...' Ik bespaarde haar de verdere details. Die zou ze vroeg genoeg te weten komen.

'Een d-d-dode vrouw? Wie dan?'

'Ze is nog niet geïdentificeerd.'

'Maar Arne had geen...'

'Dat is alles wat we tot nu toe weten, mevrouw Samuelsen. En Arne is onvindbaar. Kunt u nog iets bedenken, een aanwijzing waar uw zoon kan zijn? Had hij contacten... in het buitenland? Vrienden?'

'Luister, Veum... sinds 1972, toen mijn man en m'n dochter minder dan een half jaar na elkaar stierven, zijn we geen gezin meer... hier in huis. Het contact tussen Arne en mij... daarna... betekende niets meer. Ik weet niet meer van hem dan ik... dan het weinige dat hij in z'n brieven schrijft. Ik weet niets!'

'Ik begrijp het. Het spijt me. Maar zoals ik al zei: zoals het er nu voorstaat, kan ik niets meer doen. Het is mislukt. U krijgt een volledig kostenoverzicht als ik terugkom, maar ik hoop dat u begrijpt dat ik de opdracht als beëindigd moet beschouwen. De politie laat niet toe dat ik me in hun onderzoek meng en... en nu wordt het tenminste een algehele opsporing, dus...'

Ze klonk plotseling uitgeput. 'Tja. U moet maar contact met me opnemen als u weer in Bergen bent, Veum. In ieder geval bedankt... dat u het geprobeerd hebt. Tot ziens.'

'Tot ziens.'

Ik stond op en liep naar het raam. De natte sneeuw was dikker geworden, de grauwe vlokken bleven langer op het trottoir liggen. Als het nu kouder werd, zou het echt gaan sneeuwen.

Ik huiverde, nam een besluit en verliet de kamer. Beneden in de schemerige bar zat nog bijna niemand. Ook vandaag stonden er twee jongens pijltjes te gooien, maar het waren twee andere gezichten. Achter de toog stond de man met het wassenbeeldengezicht zwijgend een glas op te poetsen. Aan de bar zat een forse man met een groot glas voor zich een samengevouwen krant te lezen: het was Carl B. Jonsson.

Toen ik op de kruk naast hem ging zitten, keek hij van zijn krant op. 'Hallo, Snoopy', grijnsde hij. 'Hoe gaat het ermee? Heb je je man gevonden?'

Ik schudde mijn hoofd en bestelde een pilsje.

Jonsson sloeg met zijn grote hand op de krant. Het was een foto van president Carter, die zijn nederlaag toegaf. 'Moet je die schijnheilige kluns nou eens zien! En dat had ons land... ja, de States dan... nog vier jaar willen regeren, als Ronald hem de pas niet had afgesneden. Zo'n onnozele, naïeve pindaboer uit Georgia!'

'Ach, voor mij zijn het allebei geen helden.'

De barkeeper bracht mijn bier en Jonsson zei sarcastisch: 'Nee? Wie is jouw held dan, Veum? De eenzame cowboy?'

Ik keek in mijn bierglas en dacht even na. 'Als ik al een held had, dan zou het iemand als... ja... Lasse Virén moeten zijn.'

Hij keek me met open mond aan. 'Wie? Die hardloper? Iemand die al zijn tijd gebruikt om iedere dag veertig, vijftig kilometer te lopen en om de vier jaar twee Olympische medailles te pakken? Die alles laat staan wat het leven te bieden heeft... *Wein, Weib und Gesang*... om als een halve zool door de bossen van Finland te rennen of over de hoogvlaktes van Colombia? Mijn God, man! Wat denk je dat Philip Marlowe gezegd zou hebben?'

'Nee. Niet daarom. Maar omdat hij in 1972 in München tijdens de finale van de tienduizend meter viel... of omver

115

werd geduwd... opstond, vloekte en weer verder liep... en niet alleen het hele peloton inhaalde, maar na een soevereine eindspurt de wedstrijd nog won ook. Over die eigenschap zou ik graag beschikken, soms.'

'Wel, wel, wel', zei hij, licht geïrriteerd. 'Ik begrijp dat je niet op je mondje bent gevallen. Maar sommigen van jullie hier... jullie denken dat jullie alles beter weten dan wij... maar vergeet niet: zonder ons en de NAVO zouden jullie een provincie van Buiten-Mongolië zijn geweest, of zoiets. Vergeet dat niet, Veum!'

'Ik zal het proberen', zei ik en nam een slok.

Om te laten zien dat hij niet langer boos was, hief hij zijn glas. 'Skål!' grijnsde hij.

'Wat doe je hier eigenlijk om deze tijd? Is dit je tweede kantoor?' Ik wierp een veelzeggende blik op de rijen flessen langs de wand.

'Veiligheidschef bij een oliemaatschappij is geen kantoorbaan, Veum. Ik moet het veld in. Buiten hoor je wat er gebeurt. Op plekken zoals deze... en nog wat andere.'

'Wat weet je... Wat weet je over een zaak die gerund wordt door ene Ole Johnny?'

'Ole Johnny? Alleen dat je er mensen kunt ontmoeten. Iemand die een paar duizendjes heeft verloren is vaak nogal spraakzaam. Het kan de moeite waard zijn die plaatsen te bezoeken. Bovendien... waar ik vandaan kom, kijken we wat ruimhartiger tegen dat soort vrijetijdsbesteding aan dan jullie hier.'

'Op zulke plaatsen kan een arme drommel een aardige speelschuld opbouwen, nietwaar?'

Hij schudde langzaam zijn hoofd. 'Dat denk ik niet. Ze nemen niet zoveel risico. Je speelt zolang je geld hebt... of eventueel andere voorwerpen van waarde. Dan is het spel uit en drink je je lam, of je benijdt degenen die op zolder een nummertje maken, of je gaat weg. Het spel is uit.'

'Kun je ook ergens anders geld lenen?'

'Natuurlijk. Dat kan overal. Op de Skagenkai kun je als je dat wilt binnen een halfuur 100.000 kronen lenen... als je de week erop 200.000 kronen kunt terugbetalen.'

'Honderd procent rente per week?'

'Wel, het varieert natuurlijk, maar gemiddeld... ja.'

'Ik moet iets eten', zei ik en nam mijn bierglas mee naar een leeg tafeltje.

'Heb je er iets op tegen als ik je gezelschap hou?' vroeg Jonsson.

Ik haalde mijn schouders op ten teken dat het me niet uitmaakte. We bestelden allebei een biefstuk. Terwijl we op het eten wachtten, zei hij: 'Heb je... aangezien je daarnaar vraagt... heb je iets gevonden over die... Samuelsen, wat in die richting wijst?'

'Woekeraars? Nee. Nee, ik probeer er alleen achter te komen... hoe het hier zit. Er gebeuren blijkbaar nogal wat dingen in Stavanger die tien jaar geleden ondenkbaar waren.'

'Het hoort erbij. Vooruitgang, groei en... criminaliteit. Het drugsgebruik ligt gelukkig laag, voorlopig, maar dat komt door de strenge regels op de platforms. Alleen lui die aan de wal blijven gebruiken wel eens wat hasj. Mensen uit de States zijn daaraan gewend... om thuis hasj te roken. En gewoonten neem je met je mee... helaas.'

De biefstukken kwamen en we begonnen te eten.

Ik zei: 'Zeg, in dat baantje van je... werk je dan wel eens samen met de plaatselijke politie?'

Hij kauwde. 'O ja, dat komt wel voor.'

'Hoe zijn ze?'

'Dat hangt ervan af wat je bedoelt. De meesten zijn best aardig, maar wat betreft kwaliteit...' Hij trok zijn neus op. 'Bij ons in de States zouden de meesten allang een schop onder hun kont hebben gehad. Ze zijn zo stoer als kindermeisjes en zo moedig als grootmoeders. Eerzaam, maar eenvoudig.'

'Ken je ene Bertelsen?'

'Bertelsen... Een bureaucraat. Volgt altijd stipt de regels. Bij hem krijg je elk antwoord in drievoud.'

'Het klinkt alsof je de States mist.'

'Wel, wel... het is er allemaal wat ruimer.'

'De eindeloze prairies... barstensvol boortorens? Je draagt zeker ook een cowboyhoed?'

Hij grijnsde zijn brede lach. 'Alleen bij feestelijke gelegenheden, Veum. Hoe zit het met jou... draag jij altijd een puntmuts?'

'Alleen op zondag, zo nu en dan.'

We lachten beleefd naar elkaar en hij vroeg: 'Wat zeg je ervan... nemen we nog een dessert? In dat geval kan ik je de notenbavarois met cognacsaus aanbevelen.'

'Ik denk dat dat mijn portemonnee te boven gaat.'

'Ik trakteer!' zei hij gul.

'Dank je wel, maar ik betaal liever zelf.'

'De perfecte Noor... onomkoopbaar, nietwaar?'

We bestelden en het dessert smolt als echte karamelpudding in de mond – en liet alleen een zoete smaak achter aan mijn verhemelte en een gevoelige knauw in mijn budget.

Ik liet hem trakteren op een glas cognac bij de koffie. Hij was nog steeds erg spraakzaam en ik had verder toch niets te doen.

De bar liep langzaam vol. Ik zocht Elsa, maar ik zag haar nog niet. Enkele bekenden van Jonsson kwamen aan ons tafeltje zitten. Een paar Amerikanen en enkele Noren. Uiteindelijk stond ik op, bedankte voor zijn gezelschap en ging terug naar mijn kamer.

Buiten was het donker geworden. De middag was voorbijgevlogen en de avond doemde als een zwarte muur voor me op.

Ik kleedde me uit en liep de badkamer in. Ik liet het water goed warm worden en bleef heel stil onder de douche staan. Zeepte me vervolgens langzaam in. De zeep glipte uit mijn vingers en viel op de vloer. Toen ik me bukte om hem op te rapen, bleef ik stilstaan.

Had ik nog een ander geluid gehoord? Of was het alleen het geluid van het stuk zeep dat op de vloer viel?

Ik bleef gebogen staan en keek naar het matte, bruin-wit-gestreepte douchegordijn. Bewoog het? Was er iemand – in de badkamer?

Er was maar één manier om daarachter te komen. Ik ging rechtop staan, drukte mezelf tegen de muur aan en loerde door de smalle opening tussen het douchegordijn en de wand. Ik zag niets.

Behoedzaam duwde ik het gordijn opzij. De badkamer was leeg.

Beschermd door het geluid van het stromende water sloop ik naar de gesloten deur, legde mijn hoofd ertegenaan en luisterde. Weer kreeg ik het onbehaaglijke gevoel iets te horen – zonder er zeker van te zijn. Het geluid van de douche stoorde me.

Zo voorzichtig mogelijk drukte ik de klink omlaag en legde ik mijn gewicht tegen de deur. Ik kreeg er geen beweging in. Ik probeerde het nog eens, met meer kracht en niet meer zo voorzichtig.

Het hielp niet. De deur was aan de buitenkant geblokkeerd. Ik was opgesloten.

20

Eén ogenblik bleef ik besluiteloos staan. Ik keek om me heen. De badkamer was, afgezien van een paar luchtkanalen, aan alle kanten gesloten. Ik draaide de kraan van de douche dicht. Terug bij de deur luisterde ik nogmaals. Ik hoorde niets. Niemand die in mijn spullen rommelde. Niemand die sprak. Niets.

Ik pakte de donkerbruine handdoek, droogde me af en bond hem toen om mijn middel. Ik deed een paar passen naar achteren, rende naar de deur en zette mijn schouder ertegen. Met als enig gevolg dat mijn schouder pijn deed. Ik schopte tegen de deur, met hetzelfde resultaat, maar nu in mijn voet.

Ik keek om me heen. Ik zag maar één langwerpig voorwerp, mijn tandenborstel, en die was te dik om tussen de spleet van de deur te steken.

Ik begon met mijn vuisten tegen de deur te slaan. 'Help! Hèèèèlp!' riep ik. 'Ik zit opgesloten! Hèèèèlp!'

Ik luisterde. Er kwam niemand. Niemand antwoordde.

Ik ging onder een van de luchtkanalen staan en riep omhoog: 'Hèèèèlp! Ik zit opgesloten!' Ik riep mijn kamernummer ook, voor het geval iemand het zou horen, maar het enige antwoord dat ik kreeg, was de spoeling van een toilet op de verdieping boven me.

Ik bonsde weer tegen de deur en riep om hulp tot ik schor

werd. Ik kreeg het koud en tegelijkertijd transpireerde ik. De angst balde zich samen in mijn middenrif. Mijn hart klopte in mijn keel. Toen ging de telefoon.

Ik hoorde het heel duidelijk, alsof het toestel naast me op de wastafel stond. 'Hèèèèlp!' schreeuwde ik, alsof degene die belde dat zou kunnen horen. 'Hèèèèlp!' Mijn keel werd dichtgeknepen en ik kon er amper nog geluid uit krijgen. Ik kreeg zin om iets te breken, het maakte niet uit wat, gewoon iets breken. De telefoon rinkelde maar door.

Ik leunde met mijn hoofd tegen de muur. Ik ging op het deksel van de wc zitten en zei tegen mezelf: Kalm blijven. Rustig. Zo dadelijk...

De wanden waren onnatuurlijk dichtbij gekomen, alsof de ruimte kleiner werd. Ik hoorde mijn bloed achter mijn slapen kloppen. De telefoon was opgehouden te rinkelen en het werd dubbel zo stil. De stilte dreunde door mijn hoofd en om mijn eigen stem te horen begon ik te zingen: 'The one I love belongs to somebody else. She...'

Ik stopte abrupt en overdacht de betekenis van die woorden. Toen hoorde ik een stem.

Er was iemand in mijn kamer. Iemand klopte op de badkamerdeur. 'Hallo?'

Ik bleef verstijfd zitten. Toen kwam mijn stem tevoorschijn, gebarsten en angstig: 'Ja... hallo?' En daarna luider: 'Ja, hallo? Ik ben hierbinnen. Haal me eruit!'

Ik hoorde wat ondefinieerbare geluiden. Iets zwaars werd over de vloer geschoven en toen ging de deur open. Ik tuimelde naar buiten. Een van de receptionisten trok het salontafeltje met het massieve tafelblad de kamer in.

Hij keek naar me op. 'Het stond klem tussen de badkamerdeur en de muur', verklaarde hij. 'Geen wonder dat u de deur niet open kreeg.'

'Werkelijk?' vroeg ik sarcastisch. 'Mijn naam is Veum, niet Samson.'

'Iemand heeft een grapje met u willen uithalen', zei hij en probeerde het weg te lachen.

'Dit is verdomme niet om te lachen!' viel ik uit.

Hij bond meteen in en zei beleefd: 'Nee, het spijt me... maar ik zal u zeggen, we zijn dit soort dingen wel gewend... van... de oliejongens, die willen nog wel eens een grap met elkaar uithalen. We hoorden u helemaal beneden in...'

'Maar ik zit verdomme helemaal niet in de olie, dus waarom zouden ze in godsnaam...'

'Misschien hebben ze de verkeerde kamer genomen', zei hij gedwee.

'En hoe zijn ze verdomme binnengekomen? De deur was op slot.'

Hij keek schaapachtig naar de deur. 'Nee, ik...' Toen rechtte hij zijn rug. 'Als u wilt, kan ik dit aan de directie rapporteren, dan...'

'Loop naar de hel!' zei ik. 'Sorry, ik... ik ben een beetje over mijn toeren. Ik moet even tot rust komen. Laat me maar alleen...'

Hij knikte en trippelde haastig naar de deur. 'Natuurlijk, natuurlijk, als er iets is, u belt maar, en ik zal het noteren, zodat... de rekening... U krijgt vast een flinke korting...' Hij verdween achterwaarts de deur uit, maar ik had hem beter kunnen tegenhouden en hem moeten vragen dat laatste zwart op wit te zetten. Zoiets komt altijd van pas.

Ik verzekerde me ervan dat de deur goed op slot zat alvorens mijn handdoek af te doen en me aan te kleden. Ik had mijn onderbroek en mijn overhemd nog niet aan of de telefoon ging weer.

Woedend nam ik de hoorn op. 'Ja? Hallo?'

'Hallo? Veum?' zei een zachte, raspende stem met een onmiskenbaar Stavangers accent.

'Ja? Wie bent u?'

'Luister... Veum... zo eenvoudig is het voor ons om je kamer binnen te komen.' Hij zweeg.

Ik zweeg zelf ook. Het enige wat ik hoorde was het ruisen van mijn bloed.

De stem klonk weer: 'De volgende keer komen we misschien als je slaapt.'

De angst sloeg weer toe, in mijn buik en in mijn borst. Ik zocht om me heen naar een zitplaats, alleen de bank was binnen bereik. Ik plofte neer. 'Hallo?' zei ik. 'Hallo... wie...'

'Veum... Je krijgt de groeten van Arne.'

'Van Arne? Arne wie? Arne... hoor eens...'

'Hij laat je groeten en vraagt of je wilt ophouden naar hem te zoeken.'

'Maar... maar... ik ben al gestopt! Doe hem de groeten, kun je hem niet... vragen naar huis te schrijven, naar zijn moeder... of te bellen...'

'Veum... Als je niet ophoudt, dan komen we je een bezoekje brengen... 's nachts... als je slaapt...'

Ik hoorde mijn adem, een gierende, schurende ademhaling, alsof ik een steile helling was opgerend.

'Slaap lekker, Veum. Welterusten', zei de stem. Er klonk een klik en toen bleef de telefoon stil. Ik staarde naar de hoorn in mijn hand. Het zweet stond tussen mijn schouderbladen en op mijn bovenlip. Ik keek naar het bed. Ik hoorde de stem weer, raspend en ingehouden: *dan komen we je een bezoekje brengen... 's nachts... als je slaapt...*

Ik legde de hoorn neer en keek naar mijn bezwete handpalmen. Mijn handen prikkelden, alsof de angst zich helemaal tot daar had uitgebreid.

Ik staarde naar het raam. Buiten was het zwart en donker, terwijl de nacht nog niet eens echt was ingevallen. Het zou nog vele uren duren voor het licht werd.

21

Ik kleedde me aan, zocht bij elkaar wat ik aan geld had, stak de fles aquavit in de zak van mijn jas en liet de rest van mijn spullen achter in de kamer. Ik keek de kamer even rond en liep toen naar de deur, die ik voorzichtig opende. Ik keek de gang door. Er was niemand te zien. De vele lege vakjes van de broodjesautomaat knipoogden me toe. Hij was niet meer bijgevuld. Ik inspecteerde het slot van mijn kamerdeur. Er zaten geen krassen omheen. Degenen die in mijn kamer waren geweest, hadden een sleutel gebruikt. Maar voor professionals is dat de eenvoudigste zaak van de wereld: het kopiëren van een sleutel van een hotelkamer.

Ik nam de lift naar beneden. Ik bleef wat besluiteloos bij de ingang van de bar staan. De receptionist hield mij nauwlettend in het oog. Buiten vielen grote, grijze vlokken natte sneeuw uit een roetzwarte hemel. Dat maakte de keus gemakkelijker en ik ging de bar binnen.

Jonsson was net op weg naar buiten. Bij de kapstok naast de ingang kwam ik hem tegen. Terwijl ik mijn jas ophing, pakte hij er met een grote hand een cowboyhoed af.

Ik keek hoe hij de hoed opzette en zei: 'Alleen bij feestelijke gelegenheden... zei je toch?' Ik knikte naar zijn hoed.

Hij grijnsde. 'Is dit dan geen feestelijke gelegenheid?' Zijn ogen glinsterden en hij leek in een stralend humeur te zijn. Hij knikte vrolijk naar me en verdween naar de uitgang.

Ik liep verder de schemerige ruimte in, naar de bar. Ik zocht Benjamin Sieverts, maar hij was er niet. Ik bestelde een dubbele aquavit en een glas water. De barkeeper keek me chagrijnig aan. Het was duidelijk dat mijn smaak hem niet beviel en terwijl hij de bestelling uitvoerde, zag hij er net zo enthousiast uit als een inspecteur van de volksgezondheid die een vlooienmarkt bezoekt.

Ik spoelde mijn mond grondig met water voor ik de aquavit tussen mijn tanden door tegen mijn gehemelte liet sijpelen. Toen pas kon ik eens goed om me heen kijken.

Ik liet mijn blik van tafel naar tafel glijden, op jacht naar gezichten die me iets zeiden. Ik werd niet teleurgesteld. Aan een tafeltje helemaal achterin aan de wand zat mevrouw Anderson met twee mannen. De ene was een decoratieve jongeman, maar niet haar assistent. De ander was Nils Vevang, Jonssons rechterhand. Vevang zat, voorovergebogen over de tafel, geestdriftig te praten. Zijn hoofd was half van me afgewend en ik kon zijn gezicht niet goed zien. Toen mevrouw Anderson merkte dat ik naar hen keek, zei ze iets, en onbewust keek Vevang op, met een schuldbewuste uitdrukking op zijn gezicht. Toen het tot hem doordrong dat hij bezig was een fout te begaan, deed hij alsof hij de zaal rondkeek, zonder mij te zien.

Ik wist genoeg. Ik sprong van mijn kruk en liep naar hun tafeltje. Mevrouw Anderson keek verstoord op. Haar begeleider keek dwars door me heen. Vevang gluurde, van onder zijn lichte wenkbrauwen, onwillig naar me op. Het viel me op dat de tafel gedekt was voor mevrouw Anderson en haar jonge cavalier. Het bierglas dat Vevang in zijn hand hield, had hij waarschijnlijk meegenomen toen hij bij hen was gaan zitten.

Ik zei: 'Hebben jullie het over mij?'

Een lange, pijnlijke stilte. Mevrouw Anderson legde haar

bestek neer, het mes keurig aan de rechterkant van haar bord, de vork aan de linkerkant. Ze pakte haar witte servet op en depte uitvoerig haar volle lippen. Toen zei ze: 'Over u?' En ze liet het klinken alsof dat toch wel het allerlaatste gespreksonderwerp was dat ze kon bedenken.

Haar begeleider glimlachte bête voor zich uit en at rustig door. Vevang trok een nerveuze grimas en zei: 'Waarom vraag je dat... eh... Veum?'

'Dus je weet mijn naam nog?' snauwde ik.

Mevrouw Anderson zei, opvallend vriendelijk: 'Kunnen we u verder nog ergens mee van dienst zijn, Veum? U lijkt een beetje... prikkelbaar?'

De angst, die nog steeds in mijn buik trilde, klonk door in mijn stem toen ik zei: 'Het spijt me. Stavanger werkt me blijkbaar op de zenuwen!'

Toen draaide ik me om en liep terug naar de bar. Vevang zei zacht achter me: 'Drink wat, Veum... dat helpt!' Iemand lachte. Ik ging weer bij mijn twee glazen zitten en klampte me eraan vast als aan een paar krukken. Ik was mezelf niet. Ik was al een paar uur mezelf niet meer.

Een zachte stem zei naast me: 'Jeetje, je ziet eruit alsof je een lijk hebt gezien!'

Ze besefte niet hoe dicht ze bij de waarheid zat. Ik draaide me snel naar haar om en rook een geur die me deed denken aan limoenen. Het was geen onaangename geur. Fris en opwekkend. Ze droeg vanavond geel, wat haar bruine huid benadrukte. Haar jurk had opzij diepe splitten, zat strak over haar heupen en had van boven aan de voorkant net zo'n split. Je waande je tussen de citrusbomen, je plukte welriekende vruchten, de lucht zinderde van de hitte. Ik concentreerde me op haar gezicht: de grote, witte tanden, de brede mond, de ingevallen wangen. Ik zocht naar haar naam en probeerde te glimlachen. 'Elsa... was het niet?' Mijn stem klonk als een gebarsten 33 toerenplaat.

Ze lachte terug. 'En jouw naam was... Varg?' Ik vond dat ze mijn naam op een prettige manier uitsprak, met een kleine pauze ervoor. Ik kende een andere vrouw die het ook altijd zo zei.

We keken elkaar een ogenblik aan. Ze leek vandaag meer ontspannen, niet zo uitgeteerd. Haar glimlach was zacht en meisjesachtig. Maar in haar grote, donkerblauwe ogen was iets geheimzinnigs en raadselachtigs dat ik niet kon lezen. Ik vroeg me af wat zij van mijn gezicht kon lezen. Het kon onmogelijk iets leuks zijn.

Uiteindelijk vroeg ik: 'Wil je iets drinken?'

Ze rukte zich los van mijn gezicht, of van haar gedachten, of wat het ook was waardoor ze zo stil was. 'Ja, graag... Een glas... witte wijn.'

Ik riep de barkeeper en bestelde. Een glas witte wijn, niet *het gewone* vanavond.

Ze zei: 'Vertel eens... wat is er gebeurd?'

'Gebeurd?' Ik probeerde er normaal uit te zien.

'Het is je duidelijk aan te zien, Heb je hem gevonden... degene die je zocht?'

Ik schudde mijn hoofd. 'Nee. Ik heb iets anders gevonden. En...' Ik onderbrak mezelf: 'Nee. Het heeft geen zin erover te praten. En daarna... ben ik opgesloten in de douche, boven in m'n kamer.' Ik vertelde haar kort wat er was gebeurd.

Ze keek me ernstig aan. 'Ik... je zult wel geschrokken zijn. Stavanger is...' Ze keek langzaam om zich heen voor ze haar zin afmaakte: 'een afschuwelijke stad geworden.'

Even later voegde ze eraan toe: 'Geloof me. Ik kan het weten.'

Ze keek me weer met die onderzoekende, peinzende blik aan. Toen zei ze: 'Luister eens, Varg... waarom ga je niet met mij mee naar huis?'

Er bewoog iets zoets en gevaarlijks in mijn onderlichaam. Ik zei: 'Je... ik, dank je, maar... Zoals ik laatst al zei...' Er gleed heel even een uitdrukking van ontroering over haar gezicht, als een zuchtje wind over een stil meertje, bijna onzichtbaar. Ze legde een warme hand op de rug van mijn hand. 'Ik bedoelde niet... Je kunt bij me slapen, we hoeven niet, je moet niet... ik neem vanavond gewoon vrij!' Ze keek vrolijk bij de gedachte. 'Vrij! Snap je?' Ik bleef echter sceptisch. 'Bedoel je dat je, dat ik... wij...' 'We gaan naar mijn huis, ik woon in een flat op Ullandhaug, op de achtste verdieping, en het uitzicht is fantastisch... We eten wat, drinken een glaasje wijn... praten wat. God, wat zou dat fijn zijn, Varg. Zie het als... zie het maar als een vriendendienst.'

'Een... vriendendienst?' zei ik, langzaam. En ergens achter in mijn achterdochtige hoofd dook plotseling een gedachte op: Stel dat... Geen stom idee. Eerst maken we hem een beetje bang en dan laten we hem door Elsa meelokken en dan...

'Ik...'

'Zeg nou geen nee, Varg! Alsjeblieft...' Ze keek me hoopvol aan. Haar gezicht was open, dichtbij, betrouwbaar. Ze kon me niet voor de gek houden, of...

Het alternatief was een andere kamer zoeken, in een ander hotel, maar de meeste hotelkamers hebben reservesleutels en ik zou niet rustig kunnen slapen. Maar bij Elsa?

Ik nam een besluit. 'Oké. Afgesproken.' Toen ik dat gezegd had, voelde ik me plotseling opgelucht en keek ik wat vrolijker om me heen.

De angst was er nog, maar hij was afgenomen. Maar bij het minste of geringste zou hij weer in volle hevigheid toeslaan.

We leegden onze glazen en verlieten de bar. Een paar mannen die Elsa schenen te kennen, knipoogden veelzeggend naar me en maakten onmiskenbare gebaren met hun handen. Elsa negeerde hen en ik probeerde hetzelfde te doen. Ze sloeg een donkere, leren mantel om haar schouders en bestelde een taxi bij de receptie. De receptionist keek straal langs me heen en floot zachtjes een melodie die ik niet meteen kon thuisbrengen. Pas toen we in de auto zaten, drong tot me door wat het was: *Can't buy me love...*

22

Als gevolg van de absurde fantasie van een of andere plano-
loog, stonden de drie flatgebouwen op Ullandhaug direct
naast de lage reconstructie van de hier opgegraven nederzetting uit het stenen tijdperk aan de Hafrsfjord. Of misschien was het de ironie van het lot – dat niemand daaraan
had gedacht, totdat de drie flats er ineens omhoogstaken,
als de enige drie tanden in een halfopen mond.

In de lift spraken we niet. Ik stapte na haar naar buiten,
maar er stond niemand op ons te wachten. Ze maakte de
deur van haar appartement open en deed meteen het licht
in de gang aan. Het was behaaglijk warm binnen – en vredig.
We werden niet opgewacht, er gebeurde niets. De angst in
mijn buik verdween langzaam.

Haar woonkamer was gemeubileerd met lage, chromen
meubels met zachte, fluwelen kussens erin. Aan de muren
hingen afbeeldingen in gouden tinten. De wanden waren
beige en de grote ramen die uitkeken over zee, leken zwarte kijkgaten naar de eeuwigheid.

Ik liep naar een van de ramen en keek naar buiten, met
een licht gevoel van duizeligheid in mijn achterhoofd. Naar
het zuidoosten lagen de Hafrsfjord, waar de Vikingen ooit
een cruciale zeeslag hadden uitgevochten, en het vlakke
kustlandschap van Jæren. In het westen lag de Noordzee,
groot en zwart. Een boot die in de verte met ontstoken lich-

ten voorbijstampte deed me denken aan de verlichte, schitterende diamanten die daar buiten dreven: de olie-installaties, zoals ze er 's nachts vanaf een boot of vanuit een vliegtuig uitzien. De Hafrsfjord en de Noordzee. Alsof je oog in oog stond met twee van de machtigste elementen van deze kleine aardkloot: de Geschiedenis en de Zee.

Acht verdiepingen boven de grond waren de vlokken natte sneeuw witter, leken ze meer op echte sneeuw. Maar tegen de ruiten veranderden ze toch in regen.

Ze was ergens mee bezig, achter me. In de weerspiegeling in het raam zag ik haar iets op de lage salontafel zetten: schaaltjes met zoute en zoete dingen, wijnglazen, bordjes en messen en vorken. Daarna verdween ze.

Toen ze terugkwam, zag ze er anders uit en ik draaide me om, om haar beter te bekijken. Ze had zich omgekleed en droeg nu een donkerbruine fluwelen broek en een iets lichtere, wijde velourstrui. En ze was inderdaad bijziend. Ze had een grote, donkere bril met getint glas op. Door deze kleding zag ze eruit als een aardige huisvrouw die iets extra lekkers had klaargemaakt voor haar vermoeide en gestreste echtgenoot. En zo voelde ik me ongeveer ook.

'Waar denk je aan?' vroeg ze.

'Een gevoel dat ik altijd krijg als ik op een hoog punt bij zee sta. Als je bij wijze van spreken boven op de kustlijn staat en pas echt ervaart hoe groot de zee is. Dan besef je pas hoe klein we in werkelijkheid zijn... net alsof je de aardkorst zelf ziet, in doorsnee. Hoe onbeduidend we zijn, op dit dunne vliesje tussen vuur en eeuwigheid.'

'Wat filosofisch', glimlachte ze.

Ik trok mijn schouders op. 'Welnee. Ik heb gewoon te veel Woody-Allenfilms gezien.'

'Vind je het niet schitterend?'

131

Ik keek haar niet-begrijpend aan.

'Het uitzicht', glimlachte ze.

'Ja, jazeker, het uitzicht...'

'Ontspan je, Varg. Doe je jas uit, ga zitten, hier...' Ze had een fles rode wijn opengetrokken en schonk een glas in. 'Ga nou maar rustig zitten, dan bak ik een paar heerlijke biefstukjes en maak ik een salade en daarna kunnen we wat... praten.'

Ik gehoorzaamde bijna automatisch. Ik ging zitten, nipte van de rode wijn, keek naar de zwarte gaten richting Geschiedenis en Zee en probeerde mijn schouders te laten zakken en mijn maag tot rust te laten komen. Het werkte. Toen kwam ze terug, bedaard als een geisha, met lage, bruine pantoffels aan haar voeten. De biefstuk smaakte net zo voortreffelijk als ik had verwacht.

Tijdens het eten merkte ik dat ik tot rust kwam. We praatten over eten. En over hoe duur wonen was, met name in Stavanger. We praatten over wat de olie voor de stad betekende, wat er beter was geworden en wat slechter. We vroegen ons af waar alle oliewinsten naartoe gingen, en of de doorsnee-Noor daar ook van profiteerde. Het was een absoluut normaal, alledaags gesprek, zonder enige toespeling op de dramatische gebeurtenissen van de afgelopen dag, of op het leven dat zij gewoonlijk leidde, behalve vanavond.

Toen we klaar waren met eten, schonk ze ons nog wat wijn in, trok haar benen onder zich in de stoel, vouwde haar handen om haar glas, keek me aan en zei: 'Vertel eens... Vertel eens over haar. De vrouw die jij voor je gevoel trouw moet blijven.'

Toen ik niet meteen antwoordde, zei ze: 'Ze is niet je... vrouw?'

'Nee... ik ben niet...'

'Nee, want *hen* zijn mannen gewoonlijk niet trouw.'

'Nee, precies. Maar zij is wel getrouwd.'
Ze glimlachte triest. 'O ja.'
'Het is niets nieuws', zei ik.
'Nee.'
'Je hebt het verhaal eerder gehoord.'
'Dit niet. Alle verhalen zijn anders... omdat ze over andere mensen gaan.'
'Ach.' Ik haalde mijn schouders op.
'Hoe heet ze?'
'Solveig', zei ik, in gedachten. Ik zag haar voor me. Ze kwam snel over de markt aangewandeld, met kwieke bewegingen, altijd rusteloos. Ik zat achter mijn bureau, stond op en liep naar het raam. Ze keek omhoog, zwaaide. Ik liep naar de wachtkamer en wachtte haar op. Ze kwam binnen en viel in mijn armen, we kusten elkaar.
'Je houdt... erg veel... van haar?'
Ik knikte langzaam. Ik had al koffie gezet. Ter ere van haar had ik een nieuw koffiezetapparaat gekocht. Binnen, in het kantoor, zaten we elk op een stoel, vlak naast elkaar, met de kopjes op het bureau en de zak met kaneelbroodjes opengescheurd ernaast. Ze had maar een halfuur lunchpauze, maar ze kon het rekken tot drie kwartier. Vaak bleef ze een uur. Pas nadat we voor het eerst met elkaar naar bed waren geweest, hadden we de lunchpauzes naar het kantoor verplaatst. Ik zat naast haar en streelde haar haar, terwijl we koffie dronken en praatten.
'Hoe heb je haar leren kennen?'
'In verband met een zaak, een paar jaar geleden. Maar er is niets gebeurd... Ik bedoel, ze was gewoon iemand die ik ontmoette en wel aardig vond... Pas een jaar later ben ik haar weer tegengekomen, toevallig, en daarna... We... we werden goede vrienden, ik bedoel op praatniveau, om het zo te zeggen. Tot we... In het gebouw waar ik mijn kantoor heb, is op

133

de eerste verdieping een cafetaria waar we elkaar een- of tweemaal per week zagen, vijf, zes keer in de maand, meer niet. Aan een tafeltje in een hoek dronken we dan koffie. Zij at haar lunchpakket... zo leren mensen elkaar toch kennen, nietwaar? Door met elkaar te praten.'

'Ja. En toen?'

'En toen?'

'Ja, want er is toch meer gebeurd?'

'Jawel. Op een dag vroeg ze of ze mijn kantoor mocht zien. En toen hebben we elkaar gekust. Daarboven.' Haar levendige ogen hadden het hele kantoor opgenomen: de wanden, de vloer, het plafond, het bureau, de archiefkast, de wastafel in de hoek, de glimmende keukenglazen – alsof ze het beeld in haar geheugen had willen griffen, om het voor altijd te onthouden. Ik had haar omzichtig naar het raam geleid en naar haar gezicht gekeken toen ik haar het uitzicht liet zien. Sommige mensen zouden haar neus misschien een beetje te groot vinden, haar kin te spits. Maar het naakte daglicht was haar goedgezind geweest: het had de mildheid van haar trekken, de zachte contouren van haar lippen, de diepblauwe kleur van haar ogen, de wonderlijke roodbruine glans van haar haar benadrukt. Ze had haar gezicht naar het mijne opgeheven en zo hadden we daar enkele lange seconden gestaan – oog in oog. En toen had ik haar gekust, zo voorzichtig en zacht alsof ze van spinrag was, een bloem die bij de minste aanraking uiteen zou vallen, een droom... Maar ze was niet verdwenen. Ze had mij ook gekust. 'Dat... het leek bijna onfatsoenlijk, haar te kussen, vlak voor het raam. Alsof de hele stad ons kon zien.'

Ze glimlachte weemoedig en ik wist waarom. Iedereen heeft herinneringen aan zulke kussen. Iedereen heeft herinneringen die plotseling weer boven komen als er over zo'n kus wordt verteld. 'En... toen?' zei ze.

'En toen? Het lijkt wel een interview.'

Ze bloosde. 'Ik bedoelde alleen...'

'Nou', zei ik. 'Er was die dag geen *en toen*. We vielen niet in een innige omhelzing op de grond om elkaar ter plekke, op het vloerkleed... sorry, linoleum, lief te hebben. We... we hebben daarna niet zo veel meer gezegd. We zijn als twee verliefde tieners uit elkaar gegaan en de volgende keer dat we elkaar zagen was in diezelfde cafetaria en we... het duurde nog een hele poos...'

'Ik vraag het', zei ze plotseling, 'omdat ik me erg interesseer voor... de band tussen mannen en vrouwen.'

Ik knikte.

Ze ging verder: 'Je zou kunnen denken... met mijn vak... dat zulke dingen me niets kunnen schelen. Maar... ik kan er nooit genoeg van krijgen om... het begin te horen. Hoe vreselijk een relatie zich ook ontwikkelt, hoeveel rottigheid er ook uit voorkomt, er is altijd een begin geweest, het is altijd... zo gegaan. Zoals jij vertelde. En... nou ja...'

Ik sloeg haar gade over de rand van mijn glas. Wat had ons samengebracht? Waarom zaten we hier over deze dingen te praten? Ik zei: 'Nu moet jij eens wat vertellen... over jezelf.'

Ze keek even op. 'Over mij?' Het flakkerende schijnsel van de kaars viel op haar gezicht, maakte het zachter. 'Wat...'

'Waar kom je vandaan?'

Ze keek in haar glas, alsof ze daarin haar verleden kon zien en haar gezicht werd weer harder. 'Ik kom uit Fredrikstad', zei ze. 'Uit een straat die tegenwoordig Mads W. Stangsgate heet, maar die, toen ik een meisje was, Onsøygate heette. Vlak bij het voetbalstadion. Ik ging in die tijd vaak naar het voetbal... de laatste jaren waarin Fredrikstad succes had.' Plotseling was haar gezicht heel jong. 'Heb jij Bjørn Borgen wel eens zien spelen?'

'Ja.'

'Heb je ooit iemand zo zien dribbelen? Heb je ooit zo'n elegante vleugelspeler gezien? Zoals hij door de verdediging van de tegenpartij drong, een goeie pass gaf aan Snæbbus en dan... pang!... in het net.'

'Wij hadden iemand die Kniksen werd genoemd...' zei ik voorzichtig.

'Jajaja', onderbrak ze me. 'Maar Bjørn Borgen, dat was een soort balletdanser... Ze zeiden... weet je nog die keer toen we met 5-2 van de Sovjet-Unie verloren en Bjørn Borgen onze twee doelpunten maakte... ze zeiden dat er geen enkele Noor was geweest die zulk goed aanvallend spel had laten zien sinds... ja, sinds...'

'Kniksen was erbij toen wij de Zweden *versloegen*', zei ik. Ze keek me geërgerd aan en ik hief mijn armen op in een afwerend gebaar. 'Maar wat zijn we nu aan het doen? Ruzie aan het maken over voetbal?'

Ze lachte. 'Het was zo stom. Meisjes hoorden zich niet voor voetbal te interesseren. Als we op het schoolplein met de jongens over voetbal stonden te praten, dan hadden *zij* altijd gelijk. En waarom? Wij zagen immers dezelfde wedstrijden als zij!'

'Laat ik je één ding zeggen,' zei ik, 'en beschouw dat maar als een voorstel voor een compromis. De allerbeste voetbalwedstrijd die ik ooit heb gezien, was de halve finale in 1961, toen Fredrikstad met 1-0 won van Brann-Bergen. Dat was een fantastische wedstrijd, behalve dan dat Brann had moeten winnen. Maar Fredrikstad had toen blijkbaar een beschermengel in het doel, want je weet hoe het ze in de finale is vergaan. Brann zou Haugar ook vermorzeld hebben, destijds.'

'Nou, nou', zei ze en lachte weer. '*Skål*, Varg. Weet je... ik vind het leuk om zo met je te zitten praten. Over voetbal.'

Ze zette haar glas neer. Het was leeg. Ze pakte de fles op.

Die was ook leeg. Ze haalde haar schouders op en kwam een beetje giechelend overeind. 'Ik haal even een nieuwe.' Bij de deur draaide ze zich plotseling om. 'Kom, dan laat ik je de rest van het huis zien.'

Het licht in de gang viel in een schuine hoek op haar gezicht en tekende haar trekken in scherpe, heldere contouren. Bij de deur greep ze mijn hand. 'Kom.'

De keuken was wit, schoon en opgeruimd en zou van ieder willekeurig Noors gezin kunnen zijn. Ze zette de lege wijnfles op het formica blad naast de gootsteen en pakte een nieuwe uit een kast. De koelkast was bruin en ik deed net of ik hem niet zag.

Ze wees me een lange, smalle kamer, die aan een kloostercel deed denken. 'De logeerkamer', zei ze. 'Ik heb niet vaak logés.'

'Dit is ruim voldoende voor mij.'

Ze antwoordde niet.

De badkamer was mondainer, met groen-wit gemarmerde wanden, een groot, lichtgroen bad en een stapel kleurige handdoeken, die de indruk wekten dat ze een invasie verwachtte.

Via de badkamer kwamen we bij de slaapkamer. Ik bleef in de deur staan, terwijl zij naar het bed liep. Het was een groot, royaal bed, met een donkerrode sprei erover. De vloerbedekking was steenrood. Op de wanden zat gebloemd behang.

Ze stond in profiel voor het bed. Door haar trui heen zag ik vaag de contouren van haar borsten. De zachte rondingen van haar buik en billen in de fluwelen broek. Ze zwaaide even met de fles en zei: 'De slaapkamer... het bed.' Ze klonk buiten adem, haar mond stond een beetje open, haar ogen waren donker. Op haar talent viel niets aan te merken.

'Juist', zei ik hees, draaide me hulpeloos glimlachend om en zocht mijn weg terug naar de woonkamer.

Ze volgde me, kalm, alsof ze me het uitzicht had laten zien. We gingen zitten. Ik nam in de hoek van de bank plaats en zij ging, zonder iets te zeggen, naast me zitten. We zwegen. Toen zei ze: 'Vroeger, in Fredrikstad, als klein meisje... Vlak bij ons huis stond een fabriek. Sleipner, heette die. Sleipner motorfabriek. Sleipner was geloof ik het paard van Thor of Odin of zo, en hij had acht benen. Heel vaak dacht ik eraan... dat als ik zo'n paard met acht benen zou hebben, dat ik dan daarop zou wegrijden. Heel, heel ver weg.' Ze nam een slok. 'Maar ik kwam niet verder dan Oslo. In eerste instantie.'

Ik knikte.

Ze draaide haar gezicht naar me toe. 'Zeg... mag ik tegen je aan komen zitten?'

Ik antwoordde niet, maar maakte plaats voor haar.

Ze installeerde zich, werd klein naast me en keek naar me op. 'Het... het is zo gezellig om zo te zitten, met een man, en een paar glaasjes wijn te drinken...'

'Vijf, tot nu toe.'

'...en gewoon te kunnen praten, zonder daarna met je naar bed te hoeven.'

Het was lang stil en de uitdrukking op haar gezicht verried dat ze was geschrokken van wat ze had gezegd. Ze drukte snel mijn arm. 'Ik bedoelde niet... je bent van harte welkom, als je wilt!'

Ik glimlachte weemoedig terug.

'Zeg... kijk niet zo somber. Het komt vast goed.'

'Wat?'

'Alles.'

Ik keek de kamer rond. Alles leek zo ver weg. Solveig, Arne Samuelsen, Benjamin Sieverts... Bergen, Stavanger... alles. Wij waren twee mensen die elkaar toevallig op een kruising hadden ontmoet en die waren blijven staan, om elkaar over hun leven te vertellen.

138

'In Oslo leerde ik Ivar kennen', zei ze plotseling. 'Hij was een paar jaar ouder dan ik. Ik was nog jong en niet geheel onervaren, maar toch... Eigenlijk was ik gaan studeren, aan de universiteit, maar twee jaar later zijn we getrouwd. Ik brak mijn studie af en we verhuisden naar een dorp ten noorden van Oslo. We kregen een zoontje. Pål.'

Ik wachtte op het vervolg. 'Waar gingen jullie wonen?'

'Je hebt er misschien wel eens over gelezen, in de krant. Aan een weg die ook wel de Dodenweg wordt genoemd. Omdat er elk jaar weer een paar kinderen verongelukken. Aan de E-6. Terwijl de gemeente en de regering er niets aan doen.'

'Maar...'

'Ivar zat in de gemeenteraad. Hij was politicus, moest de godganse dag naar allerlei vergaderingen, zat in honderd besturen en was ook nog een jong en ambitieus bedrijfsleider, zoals de kranten hem meestal beschreven, terwijl ik... ik zat thuis. Ik zorgde voor Pål.'

Ze zette haar glas nu neer, speelde met haar vingers terwijl ze vertelde. 'Ik... ik had zo graag een baan gehad, maar er was thuis zoveel te doen en bovendien moest ik op Pål passen. Ik durfde hem aan niemand toe te vertrouwen. De auto's... de kinderen die verongelukten... wij kenden ze immers! Eerst was het een kindje waar Pål's middags nog mee had gespeeld, in het speeltuintje. Het jaar erop was het er een van een gezin aan de overkant van de weg... Ik zei tegen Ivar dat hij er iets aan moest doen, hij zat toch niet voor niets in de gemeenteraad. Maar hij haalde z'n schouders op en zei: "We doen ons best, maar een alternatief traject..." o ja, hij had het politieke jargon wel geleerd!... "zou te kostbaar zijn, dus..." "Maar de kinderen dan?!" vroeg ik... Nou, daar had hij niets op te zeggen... En toen, op een dag...'

Na een lange, drukkende stilte vroeg ik voorzichtig: 'Toch niet... je zoontje?'

Ze keek me met glanzende ogen aan. 'Nee. Hij kwam niet onder een auto. Dat zou bijna te ironisch zijn geweest. Maar... ik durfde hem niet alleen naar buiten te laten gaan, dus als ik niet met hem meeging, moest hij binnen spelen, terwijl ik... ik had andere dingen te doen. En die dag... Ik was eten aan het koken, terwijl hij in de kamer speelde. Hij was nog maar vijf jaar en ineens werd het zo stil binnen en ik...'

Ze vocht met haar herinneringen en ook om ons heen was het stil geworden, zo stil dat ik mijn ademhaling ergens diep onder in mijn borst kon horen.

Ze ging verder: 'We houden zo ontzettend veel van ze... van die kleine mensjes, nietwaar? Toen mijn gevoelens voor Ivar wegstierven, concentreerde ik al mijn liefde en gevoelens op Pål en... en als je dan de kamer binnenkomt en hem daar ziet liggen, op de vloer, levenloos... Dat kleine mannetje... verschrikkelijk! Een paar minuten tevoren nog zo levendig, druk, aan het spelen... en dan ineens dood, weg...' Ze hief haar handen ten hemel. 'Een engel! Als je daarin gelooft...'

'Maar wat...'

'Hij had een paar breinaalden gevonden en die in een stopcontact gestoken. Hij... de stroom is dwars door hem heen gegaan. Natuurlijk verweet Ivar mij dat ik niet goed had opgelet, dat ik zo'n moederkloek was geweest dat ik hem niet naar buiten had durven laten gaan... Naar de Dodenweg! Ik heb tegen hem geschreeuwd, gekrijst, dat ik hem nooit meer wilde zien, dat hij naar de hel kon lopen en het hele gemeentebestuur erbij, dat hij... Maar het maakte niets meer uit. We zijn uit elkaar gegaan en gescheiden, want het enige dat we destijds nog samen hadden, was Pål. Maar... er is iets in mij gestorven, Varg... toen ik de kamer binnenkwam en Pål daar dood op de vloer zag liggen. Er is

140

iets binnen in me geknakt en ik... later, toen ik naar Oslo ging om mijn studie weer op te pakken... het was niet moeilijk om een bestaan als dit te beginnen... zoals ik nu leef. Ik had geen gevoelens meer voor anderen, voor *niemand*! Zo voelde het in elk geval toen ik hiermee begon. Later...' Ze haalde haar schouders op en keek somber voor zich uit. 'Dus als je je afvraagt waarom... Ik had een doodnormale huisvrouw kunnen zijn, ergens in het oosten van het land. In plaats daarvan...' Ze keek weer naar me op en glimlachte. Nu begreep ik waarom haar glimlach aldoor zo triest leek. Ik had het gevoel dat ik haar iets beter kende.

Ze stond op. 'Maar het is... al laat. Laten we maar gaan slapen.'

Ik voelde mijn huid warm worden. Ik voelde me zo hulpeloos als een schooljongen. 'Ja... ik... Zal ik hier slapen of in de logeerkamer? Ik kan ook best hier op de bank liggen.'

Ze schudde haar hoofd en glimlachte plagend. 'Geen van beide.'

'Maar...'

'Jij gaat... in mijn bed.'

'Maar ik...'

Ze onderbrak me met een lange, parelende lach. 'O God, je zou jezelf eens moeten zien! Doe niet zo vreselijk fatsoenlijk! Ontspan je. Mijn gasten krijgen het beste bed. Ik slaap in de logeerkamer.'

'Ja maar, dat hoeft toch niet.'

'Ik sta erop', zei ze.

'Oké dan maar', zei ik en gaf het op.

We liepen de gang in. 'Als je wilt, kun je wel een bad nemen. Als jij eerst gaat, dan ga ik daarna naar de badkamer...'

'Tja, het zou... Goed.'

We bleven voor de badkamerdeur staan. 'Als je iets nodig hebt...' Ze glimlachte lief.

'Hoe laat ontbijten we?'

'Acht uur? Negen? Wat je wilt. Jij moet weer vroeg aan het werk.'

'Acht?'

'Afgesproken.'

Ik sloeg mijn arm losjes om haar heen en zei: 'Welterusten, Elsa. Bedankt... voor alles.'

'Welterusten', zei ze.

We bleven even zo staan, alsof we ons afvroegen of we elkaar zouden kussen. Maar we konden geen besluit nemen en ik ging de badkamer in.

Nadat ik een bad had genomen, ging ik in het grote bed liggen. Het beddengoed rook naar haar. Het maakte me onrustig. En ik zei tegen mezelf: Je denkt toch zeker niet dat je iemand anders dan jezelf voor de gek houdt?

Ik hoorde de geluiden uit de badkamer: hoe ze het bad liet vollopen en daarna het zachte plonzen van het water. Ik werd er nog onrustiger van. Ik kon het niet laten me voor te stellen hoe ze zich inzeepte, langzaam en grondig, haar hele lichaam. Ze liet het water weglopen, de afvoer maakte een grof, gorgelend geluid. Mijn bloed klopte in mijn keel. Ik hoorde haar blote voeten op de vloer van de badkamer. De deur naar de gang ging open en weer dicht en daarna werd alles stil. Onrustbarend stil.

Ik lag te woelen. De vreemde kamer maakte me onrustig: de ervaringen van de afgelopen dag waren me een beetje te veel geweest. Ik kreeg het beklemmende gevoel opgesloten te zijn, als in het hotel. Maar tegelijkertijd durfde ik niet naar de deur te lopen en die open te doen. Ik was bang dat ik haar zoontje daar zou vinden, op de vloer. Het was een nachtmerrie, terwijl ik klaarwakker was, en ik moest me in mijn arm knijpen om er zeker van te zijn dat ik *echt* wakker was.

Ik probeerde te ontspannen. Ik ging op mijn rug liggen, sloot mijn ogen en ademde diep in en uit. Toen ik mijn ogen weer opendeed, was de deur naar de badkamer plotseling open.

Ze stond in de deuropening. 'Varg? Slaap je?' vroeg ze zachtjes.

Ik richtte me half op. 'Nee... ik...'

'Jij ook niet?'

Ze had een dunne, groene ochtendjas aan, die los om haar heen hing. Haar haar zat in de war, haar silhouet stak scherp en donker af tegen het scherpe licht in de badkamer.

Ze zei: 'Ik ben weer zo... zo overstuur geworden van... Het doet me altijd zoveel pijn om... over Pål te vertellen. Ik leer het blijkbaar nooit. Kan ik... mag ik hier even komen liggen, bij jou? Alsjeblieft!'

Ik sloeg gelaten het dekbed open, ging helemaal aan de zijkant van het bed liggen en zei: 'Ach...'

Ze deed de deur niet helemaal achter zich dicht, zodat er nog een smalle streep licht de kamer in viel – als een zwaardslag, als een sprankje hoop op vergeving. Even klonk het knisperende geluid van zijde. Ze liet de ochtendjas voor het bed op de grond vallen. Ik zag de donkere cirkels op haar kleine, spitse borsten. Haar schaamhaar leek een zwarte wolk tegen de witte huid van haar buik. Ze kroop onder het dekbed en was plotseling dichtbij en warm en zacht en – veel te dichtbij.

Ze legde haar arm over me heen en kroop dicht, heel dicht tegen me aan. Het werd plotseling verschrikkelijk warm. Ik hapte naar adem, draaide me onrustig om. Haar lippen waren zacht en koel tegen mijn wang en ze fluisterde: 'O, maar... Je wilt wel. Je bent toch geen heilige, of wel soms?'

Ze had gelijk. Ik was geen heilige.

143

Later lagen we op onze rug naar het plafond te staren, bezweet en warm. Haar stem klonk iel in het donker. 'Toen ik weer naar de universiteit ging, na dat met Pål, pakte ik mijn sociologiestudie weer op waar ik bijna tien jaar eerder mee was gestopt. Ik begon aan een scriptie over de seksualiteit van mannen.'

'O ja? En wat waren je ontdekkingen?'

'Dat mannen het makkelijkst praten in bed, zoals nu, erna. Dat ik mijn eigen... gevoelloosheid kon gebruiken om dichter bij jullie te komen, om jullie aan het praten te krijgen.'

'Mannen bluffen, ook in bed.'

'Maar toch zijn jullie dan veel kwetsbaarder. En bluf is altijd makkelijk te doorzien.'

'Maar alle mannen zijn toch niet hetzelfde?'

Ze gaf me een zoen op mijn oor. 'Natuurlijk niet! Dan zou ik er ook geen scriptie over hoeven te schrijven.'

'Nee.' Na een poosje vroeg ik: 'Ben je nog steeds met die scriptie bezig?'

'Ja.'

'Maar als je die mannen... interviewt... om het zo te zeggen... Je ligt toch zeker niet in bed aantekeningen te maken?'

Ze aarzelde even voor ze antwoordde. 'Nee. Ik neem het op.'

Ik ging op mijn zij liggen, steunde op mijn elleboog. 'Op de band? Hier?'

'Ik had een... vriend, in het begin. Een Amerikaan, officier bij de veiligheidsdienst van het NAVO-hoofdkwartier in Kolsås. Hij heeft me wat... apparatuur verschaft. Een uiterst gevoelige microfoon die bij het minste of geringste geluid de bandrecorder automatisch aanzet, zodat ik zelf geen knoppen in hoef te drukken.'

'Dat klinkt indrukwekkend.'

'Het *is* indrukwekkend. Ik krijg natuurlijk een hoop onnodig gelul, maar later... als ik de banden uittyp, redigeer ik het en dan haal ik alleen het belangrijkste eruit.'

'Zeg... staat hij nu aan?'

Ze keek me schuldbewust aan. 'Ik neem aan van wel.'

Ik keek om me heen.

Ze zei: 'In het nachtkastje. Aan jouw kant.'

Ik draaide me automatisch om naar het nachtkastje. Ik zag niets verdachts, maar ik was dan ook geen expert.

Ineens bedacht ik me iets. 'Zeg eens... die banden, die zouden wel eens... explosieve informatie kunnen bevatten, nietwaar?'

'O ja. Sommige. Als ik er geld uit zou willen slaan, dan...'

'Bewaar je ze ergens?'

'Ja, maar niet hier.'

'Besef je wel dat het heel gevaarlijk kan zijn?'

'Waarom? Niemand heeft het toch door? Ik heb het nog nooit aan iemand verteld... tot nu.'

'En waarom juist aan mij?'

'Ik weet het niet, Varg. Ik had er meteen een goed gevoel bij. Jij leek te begrijpen waar ik het over had, toen ik over Pål vertelde. Op de een of andere manier... Ik vind je aardig.'

Ze bewoog in het donker en ik voelde haar handen als zachte vleugels op mijn lichaam. Ze ging dicht tegen me aan liggen en kuste me. Toen zeiden we niets meer, heel lang.

Ik werd vroeg wakker, met een warm gevoel vanbinnen. Ik luisterde naar de ademhaling van de vrouw naast me. Haar donkere haar golfde tegen het witte kussen. Haar ene mondhoek was een beetje vochtig en de rug van haar hand rustte tegen haar voorhoofd, haar naakte arm en de donkere haarstoppels in haar armholte staken boven het dekbed uit. Haar oogwimpers bewogen licht.

Ik dacht aan de laatste keer dat ik naast een vrouw wakker was geworden. Dat was in mei geweest, een half jaar geleden, na de enige nacht die Solveig en ik samen hadden doorgebracht. Ze was alleen thuis geweest en we hadden de hele nacht voor ons gehad. 's Morgens hadden we in haar bed gelegen, terwijl het zonlicht lichtgeel door de dunne gordijnen van het slaapkamerraam drong. Over de daken aan de overkant hadden we in de verte de Rothaugenschool kunnen zien, met de berghelling erboven, lichtgroen van jong gebladerte. De lichte kamer met de witte wanden, de blankhouten meubels en de lichte gordijnen hadden ons omhelsd met een licht, zo stralend als je maar een paar ochtenden – niet veel – in je leven kunt meemaken. Het was zo warm geweest dat we boven op het dekbed lagen, naakt en wit in het ochtendlicht, breekbaar. En nu kon ik niet meer naast een andere vrouw wakker worden, zonder aan juist die ochtend te denken.

Elsa verroerde zich, mompelde iets en keek me slaapdronken aan. Ze bleef naar me liggen kijken, ongegeneerd en geroutineerd, tot we besloten op te staan en ontbijt te maken.

We zaten lang aan de ontbijttafel te praten. Het was een ochtend zonder licht, donker en grijs, uit de hemel viel traag grauwwitte as omlaag, alsof er ergens een enorme brand was, en wat ik voor haar voelde was niet hetzelfde als wat ik voor Solveig voelde.

'Als je wilt, Varg... Je kunt een sleutel van me lenen, dan heb je tenminste hier een dak boven je hoofd.'

Ik keek haar over de tafel aan. Ze leek het echt te menen. En het was een goed voorstel. Ik kneep in haar hand en zei: 'Graag. Dank je wel.'

Na het ontbijt douchte ik me en kleedde ik me aan.

Voor ik wegging, gaf ze me de sleutel. Ik nam haar gezicht tussen mijn handen en keek haar aan. 'Wat je me vertelde, Elsa... over die banden... Pas goed op jezelf!'

Ze knikte alleen maar, toen ging ze op haar tenen staan en kuste mij zacht op mijn mond. 'Kunnen we niet ergens afspreken... vanavond?'

Ik knikte. 'In het hotel?'

Ze knikte terug. 'Om zes uur?'

'Ik zal het proberen.'

'Tot dan.'

'Ja, tot dan. Prettige dag en... bedankt, ondanks alles.'

'Heb ik je verleid?' vroeg ze plagend.

'Dat kun je wel zeggen. Als ik mezelf niet verleid heb.'

Ze glimlachte en deed de buitendeur zacht achter me dicht.

Ik nam de lift naar beneden, zette mijn kraag op en stapte huiverend de novembermorgen in. Ik hoorde de zware auto nog voor ik hem zag.

23

De krachtige motor loeide. Ik keek opzij. De grote stationcar kwam zo snel op me af dat het leek of hij stilstond. Als een roofvogel die in de lucht staat te bidden om zich vervolgens op zijn prooi te storten, zo hing de auto als het ware boven het asfalt. Gedurende één lange, verstilde seconde zag ik net een glimp van de twee gezichten achter de voorruit.

Tijd om me om te draaien was er niet. In een reflex wierp ik me naar voren en de zware auto schoot rakelings langs, zo dichtbij dat hij de achterkant van mijn benen raakte. Hij passeerde met gierende remmen. Over mijn schouder zag ik het brede, witte gezicht van een van Ole Johnny's pinguïns, die zich omdraaide om te zien hoe het me was vergaan. De man achter het stuur zette de auto in achteruit en tuurde in het spiegeltje.

Ik rende weg, zette af en sprong over een lage afrastering. Ik holde over het hobbelige grasland. Achter me zag ik dat de auto was gestopt. Een van de mannen stapte uit. Ik wierp een onderzoekende blik omhoog naar het flatgebouw, maar het was onmogelijk te zien of er iemand getuige was van wat zich voordeed.

Ik rende in de richting van de prehistorische nederzetting. Omdat ik de helling afliep, kreeg ik meer vaart. Ik keek nog eens achterom. Hij liep honderd meter achter me, voorover en moeizaam, maar effectief als een buffel. Ik was blij dat het niet een hele kudde was. Eentje was al erg genoeg. Ik hoorde de motor van de auto weer brullen. De ander wilde blijkbaar omrijden en proberen me de pas af te snijden. Ik had nu de lage prehistorische gebouwen bereikt, sprong over een stenen muurtje en bevond me op de weg. De man achter me had nog steeds zo'n honderd meter achterstand. Ik liep verder langs de weg. Boven op de helling hoorde ik een auto aankomen. Ik keek achterom om te zien of het de grote stationcar was, maar het was een kleinere auto, een blauwgroene Mazda.

Mijn achtervolger was nu ook bij de weg aangekomen. De Mazda week uit naar links om hem te passeren. Toen het autootje mij bijna had bereikt, rende ik met zwaaiende armen de weg op. De bestuurder keek me ontsteld aan, trapte op zijn rem en slingerde de auto weer naar de linkerweghelft. Ik gleed langs de motorkap en rukte het portier open. 'Sorry, maar... er zit iemand achter me aan.'

Een man met roodbruin haar, een grote neus en een dikke bril leunde woedend opzij en snauwde: 'Waar ben je in godsnaam mee bezig, man? Je had wel dood kunnen zijn!'

Ik hijgde. Mijn achtervolger kwam almaar dichterbij. 'Geef me een lift', steunde ik. 'Het is... het is... de KGB!'

Zijn gezicht lichtte op. 'Echt waar? Stap in!'

Ik sprong in de auto. De bestuurder gaf vol gas. Ik keek achterom. Mijn achtervolger was nu vlak bij de auto. Hij strekte een arm uit, alsof hij de auto wilde tegenhouden en naar zijn uiterlijk te oordelen zou hij dat best kunnen.

Maar de Mazda sprong vooruit, terwijl de versnellingsbak lelijk hoestte. Ik zag de andere auto nog steeds niet.

De man achter het stuur boog zich naar voren. 'Hoor eens, waar moet je naartoe? Ik werk op de districtshogeschool en ik moet over een halfuur lesgeven.' Hij was begin dertig en sprak een dialect dat ik moeilijk kon thuisbrengen, tot het tot me doordrong dat hij een soort Nieuwnoors sprak met een Bergens accent.

'Waar kom je vandaan?' vroeg ik.

'Kun je dat niet horen? Ik kom uit Stend... vlak onder Bergen. Maar...'

'Rij maar gewoon door, maar sla zo nu en dan een zijweg in, een beetje onlogisch. Mijn achtervolgers hebben ook een auto. Ik moet naar het centrum, maar als je me bij een taxistandplaats zou kunnen afzetten, dan...'

'Wat kan het me ook schelen! Ik breng je even. Hou je vast!' Hij trok aan zijn stuur en we maakten een scherpe bocht naar rechts. 'Is het echt de KGB die...'

'Wat moest ik zo snel zeggen? Het zijn een paar vechtersbazen uit een tent in de stad, ik ben...'

'Zeg maar niets. Hoe minder ik weet, des te minder mij kan gebeuren.'

Ik keek voortdurend achterom. We reden kriskras in de richting van de stad. Uiteindelijk had ik nauwelijks nog een vermoeden waar we ongeveer waren. De stationcar was nergens te bekennen. Waarschijnlijk hadden we hem afgeschud.

Nu pas kreeg ik tijd om na te denken over wat er was gebeurd. Hoe hadden ze geweten waar ik was? Waren ze me gevolgd? Bestond er een verband tussen Ole Johnny en Elsa?

Ik had een bloedsmaak in mijn mond. Het zweet droogde op mijn lichaam en ik begon te rillen.

Het moest Ole Johnny zijn, of een van zijn mannen, die me de dag tevoren door de telefoon had bedreigd. Wisten ze echt waar Arne Samuelsen was? Wisten ze wie de vrouw in de koelkast was? De vragen stapelden zich op. En hoe zat het met Carl B. Jonsson? Of Vivi Anderson? Hadden die er iets mee te maken?

Eigenlijk zou ik er niets meer mee te maken moeten hebben, maar iemand had me opgesloten, opgebeld en bedreigd – en ze hadden geprobeerd me te overrijden. Het beviel me allemaal maar niks. Ik had een aantal vragen en de enig denkbare persoon die er misschien een paar van kon beantwoorden, was... Laura Losjes.

Ik wendde me tot de bestuurder, gaf hem Laura's adres en vroeg of hij me in de buurt ervan kon afzetten. Hij knikte. We waren nu in het centrum. Rechts passeerden we het Rogaland Theater. De grote, nieuwe toneeltoren was uitgegroeid tot een betonnen pukkel boven op het theater. Het gebouw zou nooit meer hetzelfde zijn.

Beneden ons glinsterde het stadsmeertje en kale boomtoppen grepen met skeletachtige handen naar de befaamde lichtreclame: *Jezus – het licht der wereld.*

'Ik moet terug naar school.'

'Prima. Ik vind het verder zelf wel. Heel hartelijk bedankt... en dat meen ik echt. Je hebt...'

'Graag gedaan.' Hij glimlachte breed. 'En veel succes... met de KGB!' Hij stak zijn hand op en reed de straat weer op.

Ik stond op de stoep voor een groot schoolplein. Ik keek nerveus om me heen. Het leek een doodgewone donderdagochtend. Beneden op de markt wemelde het van de mensen, Alexander Kielland stond met zijn rug naar me toe vergeefs naar oude zeilschepen uit te kijken. Het enige wat hij zag was het olieplatform Statfjord-B.

Er kwam geen grote auto op me af. Niemand kwam met zware voetstappen op me toegelopen. Mijn haar wapperde in de wind die koud en hard vanaf de fjord de stad in waaide. Met gebogen hoofd stak ik de straat over.

In de luwte van de hoge flats in het centrum bereikte ik het straatje en het oude gebouw waar Laura Losjes woonde. Het vrachtwagenwrak op de binnenplaats lag er nog steeds. Ik staarde er wantrouwig naar, alsof het plotseling brullend op me af kon komen. Het afgelopen etmaal had me zenuwachtig gemaakt. Ik keek goed om me heen toen ik mijn lichaam tegen de verveloze toegangsdeur zette. Die ging een klein stukje open en stootte toen ergens tegenaan. Dat verbaasde me. Ik zette mijn schouder nogmaals tegen de deur en duwde hem naar binnen. Hij gaf mee, maar niet veel. Er was iets dat er aan de binnenkant tegenaan drukte. Iets dat niet hard en massief was, maar zacht en buigzaam.

De opening was groot genoeg om de onderste traptreden te kunnen zien.

Ik keek nog eens om me heen. De gestreepte kat lag op zijn plaats onder de vrachtwagen. Hij volgde me met een strakke blik. Hij maakte dat ik me onwel voelde. Katten maken mij altijd nerveus. Ik keerde hem de rug toe, schoof de deur nog een paar centimeter open, perste mijn schouder door de opening en stak mijn hoofd naar binnen.

Achter de deur lag Laura Losjes. Ze had niet veel aan, alleen de roze onderjurk die ik de dag ervoor gezien had. Ze lag onder aan de trap, met haar nek in een onnatuurlijke knik. De onderjurk was opgeschort tot rond haar middel. Haar pluizige blonde haar stond alle kanten op en midden op haar achterhoofd had ze een donkere plek, bijna een soort moedervlek.

Toen ik me bukte om in haar hals naar haar hartslag te zoeken, voelde ik dat ze ijskoud was.

24

Ik richtte me op en zocht de binnenplaats af. Het oude au-
towrak had een nieuwe dimensie gekregen. Het deed me
denken aan het menselijke wrak achter de deur.

De gestreepte kat stond op, rekte zich uit en verliet zonder mij een blik waardig te keuren het erf, met zijn staart in
de lucht, alsof hij het doodse van de plek nog eens wilde on-
derstrepen.

Ik kon haar niet helpen. Ik volgde het voorbeeld van de
kat en verliet de plek des onheils.

Twee dode vrouwen binnen vierentwintig uur: dat waren er twee te veel. Stavanger was van karakter veranderd.
De huizen die ik passeerde, de schimmelige houten puien
aan de achterkant van de grote pakhuizen, de glibberige
houten balken, de versleten straatstenen – alles drukte
dood en verderf uit. Ik betrapte mezelf erop te luisteren of
er iemand achter me liep. In de smalle straatjes in dit deel
van de stad reden niet veel auto's en ik hoorde de echo van
mijn eigen voetstappen – of waren ze van iemand anders?
Ik bleef ineens staan, luisterde. De echo verstomde, maar ik
was niet gerustgesteld.

De lui die geprobeerd hadden mij dood te rijden, zouden
het zeker weer proberen, als ze me konden vinden. En de
volgende keer zouden ze misschien meer geluk hebben.
Net zo veel geluk als ze – misschien – met Laura Losjes hadden gehad?

Ik naderde het centrum weer. Ik vond een telefooncel en draaide het nummer van de politie. Terwijl ik aan de telefoon was hield ik de voorbijgangers in de gaten. Ik noemde mijn naam niet. Ik gaf ze Laura's adres en raadde ze aan er een kijkje te nemen. Ik hing op voor ze iets konden vragen. Daarna zocht ik een cafetaria op, terwijl ik me afvroeg of ik juist had gehandeld. Misschien had iemand me de binnenplaats zien opgaan – of verlaten. Waarschijnlijk was het verstandiger geweest om open kaart te spelen tegenover de politie. Maar in mijn woonplaats stond ik niet bekend als een verstandig man en de samenleving van Stavanger had daar geen verandering in kunnen brengen.

In de cafetaria bestelde ik een kannetje thee. Er hingen twee theezakjes in, die ik er al snel uit haalde. Slappe thee helpt tegen overspannen zenuwen.

Laura Losjes was dus dood. Haar huid was ijskoud geweest, maar ze was in elk geval nog heel en niemand had de moeite genomen haar in een koelkast te stoppen.

Hadden ze iets gemeen – Laura Losjes en de geheimzinnige vrouw in de koelkast? Waren ze misschien getuige geweest van iets dat ze niet hadden mogen zien? Of hadden ze iets gehoord dat ze niet hadden mogen horen?

Er waren twee vrouwen vermoord. Had Arne Samuelsen iets met de moorden te maken? En waar was hij?

Onwillekeurig keek ik naar buiten. Ondanks het nog vroege tijdstip was het donker geworden. Vanuit het westen dreven loodzware wolken landinwaarts. De eerste sporadische druppels sloegen al tegen de ruiten. De zon was Stavanger vergeten.

De cafetaria was typisch Noors, van de droge, harde pannenkoekjes in de vitrine tot de caissière met haar tollenaarsblik. Ze troonde achter haar ratelende apparaat, met ogen die tot diep in je ziel en al je geheime hokjes keken. Het rook er naar koffie en de lucht was klam en kil. Wie verstandig was, hield zijn jas aan. Wie dat niet was, werd verkouden.

Elsa – zou ik haar opbellen? Haar vertellen wat er voor de flat was gebeurd? Maar kon ik haar – onvoorwaardelijk – vertrouwen?

Er kwam een onaangename gedachte in me op. Stel dat zij...? Ik keek naar mijn handen, dacht aan de huid die ze geliefkoosd hadden, het haar dat ze gestreeld hadden. Zelfs als ik zo aan haar dacht, kon ik me haar gelaatstrekken niet voor de geest te halen. Ik kende haar niet.

Ik dronk langzaam van de slappe thee. De caissière gluurde naar me. Ik had niet bepaald veel geld binnengebracht en ze zou me weten te vinden als ik iets sterks in mijn thee probeerde te schenken. Zag ik er zo uit? Ik haalde discreet een hand over mijn kin. Ik had me niet geschoren.

In de verte hoorde ik een sirene. Wat zou het zijn? Een ambulance? In dat geval te laat. De politie? Wat had het voor zin?

Ik voelde me opgejaagd en hulpeloos. Ik had het gevoel dat ik iets had nagelaten, dat ik lijnen, een patroon moest zien, een pad in de wildernis.

Hier blijven zitten hielp in elk geval niet.

Als ik terug naar het hotel ging, zouden ze me dan opwachten? Of zouden ze me in de stad zoeken? Als Ole Johnny al zijn bodybuilders op vossenjacht had gestuurd, zou ik binnen de kortste keren in de val lopen.

Ik kon beter de eerstvolgende boot naar Bergen nemen, of de politie dat nu leuk vond of niet. Als ze me nodig hadden, kwamen ze me maar halen, dan konden ze meteen op me letten. Maar in dat geval moest ik terug naar het hotel, om de rest van mijn spullen te halen.

Er zat niets anders op. Ik dronk mijn thee op, legde bij

wijze van grap vijf øre op het schoteltje en dook de mensenmassa weer in. Voortdurend om me heen kijkend, liep ik snel terug naar het hotel.

Ik kwam niet verder dan de receptie. Er zaten twee mannen in lichte jassen op me te wachten. Toen ze me zagen, stonden ze op, als één man. Ze waren ongeveer even groot, maar hun gezichten waren verschillend: het ene rond en zachtaardig, het andere mager en ascetisch. Voor ze zich voorstelden, noemde ik ze in gedachten Abbott en Costello. De magere sprak. 'Agent Iversen. Wilt u ons alstublieft volgen?'

Ik staarde hem aan. 'Deze stad werkt me op mijn zenuwen. Kunnen jullie je legitimeren?'

Dat konden ze, dus ik ging met hen mee.

*

25

Het politiebureau van Stavanger staat op een strategisch punt. Aan de overkant van de straat zijn een kerk, een staatsdrankwinkel en een discotheek. Er is in zowel geestelijke als lichamelijke behoeften voorzien en de politie kan alles in de gaten houden. Bertelsen was kortaf en formeel, hij stond niet op toen ik binnen werd gebracht. Hij keek me nors aan over de rand van zijn brillenglazen en las vervolgens verder het getypte vel dat voor hem lag.

Ik floot zachtjes voor me uit – I can't get started in een geïmproviseerde bluesversie. Ik keek naar buiten. De drankwinkel had over klandizie niet te klagen. Voor de kerkdeur stond niemand te dringen. Langs de discotheek wandelde een blonde vrouw met aan de riem een voorname, grijze poedel, die zich gedroeg alsof hij haar beschermengel was.

Met een driftige beweging vouwde Bertelsen zijn bril op – om duidelijk te maken dat hij klaar was met lezen. Zijn ijsblauwe ogen staarden dwars door me heen en zijn mond was een dunne, bijna uitgegumde potloodstreep. 'Waar heeft u de nacht doorgebracht, Veum?' zei hij met zijn droge, krakende stem.

'Tja, ik...'

'We weten dat u niet in het hotel was, dus u hoeft geen uitvluchten te verzinnen.'

'Ik was bij een... vriend.'

Ik staarde uit het raam. Er kwam een man de drankwinkel uit, met in iedere hand minstens vijf liter. Iemand die zich voorbereidde op een vochtig weekeinde binnenshuis. Bertelsen zei korzelig: 'Bij een... vriend. Wie dan?' Ik keek hem aan. 'Is dat niet privé?'

'Niets is privé', blafte hij. 'Niet als er een onderzoek naar een moord gaande is.'

'Moet ik mezelf als verdachte beschouwen?'

'Voor mijn part beschouw je jezelf als de laatste der Mohikanen, als je maar antwoord geeft op mijn vragen.'

'Als je me daar een goede reden voor kunt geven.'

Hij keek me nijdig aan. 'Is een tweede lijk reden genoeg?'

Ik ging op het puntje van mijn stoel zitten. Alsof ik het antwoord niet wist, vroeg ik: 'Wie?'

Hij keek me strak aan. 'Wij stellen hier de vragen. We geven geen antwoorden.'

'Nee, dat heb ik begrepen', zei ik luchtig. 'Noemen ze dat niet PR?'

'Jij hebt gisteren een bezoek gebracht aan een dame die Laura Ludvigsen heet, klopt dat?'

Gelaten hief ik even mijn handen op. 'Dat heb ik al verteld.'

'Wanneer heb je haar weer gezien?' Hij vuurde zijn vragen met precisie op me af.

'Niet... meer.'

'Zo?' Hij leek me niet te geloven. Ik moest toegeven dat zijn methode effect had. Ik had bijna geantwoord: Niet voordat... – maar had net op tijd op mijn tong gebeten.

'Niet meer?' Hij beklemtoonde de woorden, alsof hij de dubbele bodem in mijn uitspraak wilde benadrukken. 'Wat betekent dat? Dat het dus te laat is?'

'Ik...'

'Waar belde je vandaan?'

'Belde?'

Hij antwoordde niet, maar drukte kribbig een paar toetsen van zijn intercom in. 'Iversen. Lauritzen. Kom hier.' Het was geen vraag. Het was een bevel. Abbott en Costello stonden binnen een halve minuut op de drempel.

Bertelsen wees naar twee stoelen die tegen de muur stonden. 'Ga daar zitten. Ga zitten en kijk naar deze man. Zo ziet een verdomde leugenaar eruit. Let op.'

Ze zaten op een rijtje: het bleke klerkengezicht van Bertelsen links, de ascetische bedelmonnik Iversen in het midden en Lauritzens bolle engelengezicht rechts.

Bertelsen zei: 'Nu vraag ik het nog een keer, Veum. Waar belde je vandaan?'

Ik keek langzaam van gezicht naar gezicht. Ik begon te transpireren. Ik vond hun gezichten niet aangenaam. Ze zagen eruit alsof ze meer wisten dan ik. Dat gevoel kreeg ik in ieder geval. Ik zei: 'Wie van jullie is mijn advocaat?'

Bertelsen zei: 'Heb je een advocaat nodig om een beschaafd gesprek te voeren, Veum?'

Ik keek hem aan. De frons op mijn voorhoofd voelde aan als een stel gespannen spieren. 'Dit heeft meer weg van een verhoor dan van een gesprek en als het dan ook nog een beschaafd gesprek moet zijn... dan verstaan ze in Stavanger iets anders onder beschaving dan in Bergen... of misschien is het binnen deze muren anders dan erbuiten.'

De ogen van de politiemannen zeiden alle drie wat anders. Lauritzen leek mijn gedachtengang niet helemaal te kunnen volgen, zijn blik was verward. Iversen zag er volkomen onverschillig uit en had zijn gedachten waarschijnlijk bij forelvissen, of bij bougies of bij de gebruiksaanwijzing voor de vervanging van schrijfmachinelint. Bertelsen keek mij ijskoud aan en zei: 'Als je geen gesprek wilt voeren, nemen we je in hechtenis en dan kun je morgen eventueel een keer met je advocaat praten.'

'Ik...'

'Vertel Veum wat we gehoord hebben', zei Bertelsen voor zich uit. 'Zodat hij begrijpt dat we hier niet voor de lol zitten.'

Iversen zei: 'Een getuige heeft verklaard dat hij een persoon heeft waargenomen, die beantwoordt aan Veums signalement, toen hij de binnenplaats achter de woning van de overledene verliet.'

Nu was het mijn beurt om te kijken alsof ik het niet helemaal begreep. Ik wendde mij direct tot Iversen. 'Zou je dat nog een keer kunnen zeggen en dan hier en daar een punt inlassen. Het was mij net iets te omslachtig.'

'Omslachtig!' blafte Bertelsen. 'We hebben niet de hele dag de tijd, Veum! Deze zaak moet tot op de bodem worden uitgezocht en we hebben al twee opsporingen lopen. We kunnen hier niet urenlang naar jouw gewauwel zitten luisteren. Je geeft nu meteen antwoord... of ik sluit je op... en dan zul je de vierentwintig uur tot de laatste seconde uitzitten, dat kan ik je verzekeren.' Hij hield een seconde zijn adem in voor hij verder ging. 'Laura Ludvigsen is dood en dat weet jij heel goed. Je hebt ons zelf opgebeld om ons daarop opmerkzaam te maken. Je bent niet alleen gezien toen je de plaats in kwestie verliet, maar als je wilt, kun je de bandopname van je eigen telefoongesprek horen. Wij nemen hier in huis alle gesprekken op, een goeie gewoonte af en toe.' Zonder adem te halen ging hij verder. 'Er is geen enkele reden om aan te nemen dat Laura Ludvigsen een natuurlijke dood is gestorven. Met andere woorden: waar ben je vannacht geweest, Veum? En nu wil ik een antwoord!'

Dat was een solide knock-out. Ik hing al in de touwen en ik had moeite mijn blik te focussen. 'Bij... een vrouw, een vrouw die... Elsa heet.'

'Elsa en hoe verder?'
Ik keek hem apathisch aan. 'Dat weet ik niet.'
'Een hechte vriendschap met andere woorden? Waar woont ze?'
Ik vertelde het.
'In welke flat?'
'Die het dichtst bij de... prehistorische nederzetting staat.'
Bertelsen keek naar Lauritzen, die meteen opsprong.
'Check dat', zei hij – en toen waren we nog met zijn drieën.
Het speet me dat ik Elsa toch niet had gebeld.
Bertelsen richtte zich ogenblikkelijk weer tot mij. 'En je hebt de hele nacht bij die... Elsa doorgebracht?'
'Ja.'
'Vanaf hoe laat en hoe lang?'
'We zijn er gisteravond... vanuit het hotel... naartoe gegaan, om een uur of zeven, halfacht. En ik ben vanmorgen weggegaan, om ongeveer halftien.'
'De hele nacht, met andere woorden. En hoeveel heb je daarvoor betaald?'
'Niets.'
'O ja? Wat heb jij dat wij niet hebben?'
'Muziek.'
'Muziek?!'
Ik begon: 'I got...'
Lauritzen kwam weer binnen. Bertelsen keek hem aan.
Lauritzen zei: 'Ze staat bij ons geregistreerd. Elsa Bakketeig. Beroeps. Prijsklasse A. Opereert hoofdzakelijk vanuit...'
'Jaja... genoeg.' Bertelsen keek me aan. 'Heb je dat gehoord, Veum? Prijsklasse A. Vind je het vreemd dat ik vraag of jij iets hebt wat wij niet hebben? Wil je dat we je geloven?'
'Ik...'
'Muziek of geen muziek... wat je daar in vredesnaam ook mee mag bedoelen... professionele meisjes laten de ver-

diensten van een hele nacht niet lopen voor een sukkel als jij. Tenzij...' Hij onderbrak zichzelf. 'Stuur er twee man op af, Lauritzen. Ga zelf maar mee. Misschien is er haast bij. Misschien heeft Veum... een eigen manier om voor zijn gerief te betalen. Misschien vinden we nog een lijk.'

'Hoor eens even...' begon ik.

'Rustig maar, Veum. Je kunt toch wel tegen een geintje?' Maar zijn gezicht vertoonde geen enkel spoor van een glimlach en zijn gedachtegang beviel me niet. Net zo min als het idee dat hij in mijn hoofd had gezaaid.

Misschien troffen ze inderdaad een lijk aan. Ik had zeker moeten bellen.

Ik keek afwezig naar de telefoon.

'Wil je iemand opbellen, Veum?' Bertelsen keek mij met een paar argusogen aan.

'Nee', schudde ik krachteloos. Het zou nu toch te laat zijn.

26

Buiten hoorde ik de politiesirenes aangaan. Het hoge geluid bezorgde me koude rillingen. De sirenes klonken als de bazuinen van de dag des oordeels, een oproep tot de allerlaatste samenkomst. Bertelsens blik liet me niet los. Toen de sirenes waren weggestorven, zei hij zacht: 'Wat moest je bij Laura Ludvigsen, Veum?'

Ik keek hem aan. 'Dat weet ik niet meer.'

'Je geeft dus toe dat je er was?'

Ik haalde mijn schouders op. Ik had nu andere dingen aan mijn hoofd.

'Ja?' Zijn stem was iets hoger geworden.

'Ja!' zei ik. Hij wierp even een blik op Iversen. Iversen antwoordde met een triomfantelijke oogopslag.

'Dan wacht ik op je antwoord, Veum. Wat moest je bij Laura Ludvigsen?'

'Ik... ik wilde haar vragen of haar nog iets te binnen was geschoten... over die avond.'

'Met andere woorden... je bent verder gegaan met je onderzoek! Jij moet zo nodig uitzoeken wat die stomme hufters van de politie niet kunnen, nietwaar? Ik heb duidelijke berichten over jou ontvangen, Veum... van mijn collega's in Bergen. Ik weet precies hoe je doordramt. En... wat had je gehoopt te ontdekken?'

Ik had me voorgenomen zo rustig en ontspannen mogelijk te antwoorden. Op een toon die enigszins blasé kon overkomen, antwoordde ik: 'Ik deed geen onderzoek. Toen ik arriveerde was de dame al niet meer in staat te antwoorden. Als je geen vragen stelt, doe je ook geen onderzoek. Dus...'

'Dus is de aarde niet rond maar plat?! Ik zou je kunnen opsluiten, Veum. Nogmaals, ik zou...' Hij zweeg ineens. Met driftige gebaren verlegde hij enkele papieren in de stapel voor hem. Toen hij weer opkeek, was hij rustiger: 'Maar wij zijn niet zo dom als jij denkt, Veum. We zijn gistermiddag natuurlijk meteen met Laura Ludvigsen gaan praten. We weten alles wat er te weten valt over dat feestje...'

'O ja?'

'Alles wat zij wist.'

'Waarom zitten we hier dan?'

'Omdat Laura Ludvigsen dood is. En omdat jij rondsnuffelde op de plaats waar ze... gevonden is.'

'Dus ze is vermoord?'

'Ze is... gevonden. Met een gebroken nek. Het zou een ongeluk kunnen zijn, in beschonken toestand. Of... nou ja.'

Hij zocht in de stapel papieren, trok er een grote, bruine envelop uit. Voorzichtig haalde hij twee foto's uit de envelop. Hij keek er een poosje naar en gaf er toen een aan mij.

Ik bekeek hem. Het was het portret van een man. Hij had dun haar, geen baard en dikke, borstelige maar zeer lichte wenkbrauwen, een soort blonde Brezjnev. Hij had donkere, melancholieke ogen. Er lag een bezorgde frons op zijn voorhoofd en hij zag er niet bepaald gelukkig uit.

'En?' zei Bertelsen. 'Ken je hem?'

'Ik heb hem nog nooit gezien. Wie is het?'

De koude ogen antwoordden niet. Zijn mond was gesloten.

'Smile Hermannsen?' vroeg ik.

Hij stak zijn hand uit naar de foto, zonder antwoord te geven. Ik bekeek de foto nogmaals, gaf hem toen terug. Hij gaf me de andere foto. Ze was jonger en mooier dan de man op de eerste foto en als je door je ooghaartjes keek, zou ze er zelfs gelukkig uit kunnen zien. Er lag een lichte glimlach om de brede mond met de volle lippen, maar haar ogen lachten niet. Die waren licht en grijswit als kiezelstenen. Ze had blond haar en blote schouders. Aan de foto kon je niet zien wat voor kleren ze droeg. Misschien had ze helemaal niets aan en misschien was dat precies wat ze wilde dat je dacht. Haar gezicht was iets te breed en enigszins plat, maar dat kon door de felle belichting komen. Het was een slechte foto, die ze waarschijnlijk onderin een of andere la hadden gevonden. Zelfs op de kopie was duidelijk een ezelsoor te zien.

'En?' zei Bertelsen.

'Is dit...?'

'Ken je haar?' beet hij.

Ik schudde langzaam mijn hoofd en bekeek de foto lang.

'Maar je zou haar maar al te graag gekend hebben, hè? Ze is jouw type toch? Net als... die andere.'

'Maar weten jullie zeker dat...'

Zelfs de meest standvastige wankelt wel eens. Hij kon het niet laten een beetje te pronken. Met zakelijke stem zei hij: 'Irene Jansen. Prostituee. 28 jaar. Het afgelopen halfjaar woonachtig in Stavanger. We hebben haar appartement doorzocht. Dat is leeg. Het blijkt dat niemand haar sinds afgelopen woensdag heeft gezien...' Hij keek een ogenblik op, om zich ervan te overtuigen dat ik de boodschap begrepen had. 'We doen nu navraag in Oslo.'

'In Oslo?'

'Daar komt ze vandaan. De centrale recherche onderzoekt haar appartement daar, probeert een arts of een tandarts te vinden die bij de identificatie kan assisteren...'

'Een tandarts? Is dat niet een beetje... voorbarig. Ik bedoel... Of hebben jullie haar hoofd gevonden?'

'Nee', zei hij koeltjes. 'We hebben haar hoofd niet gevonden. Nog niet. Maar zodra we dat hebben, kan haar tandenkaart uitkomst bieden. Samen met de inlichtingen van haar huisarts. Weet je, Veum, in dit vak kijken we graag vooruit. In ieder geval *een beetje*.'

'En ze is verdwenen... als sneeuw voor de zon?'

'Ze is weg, net als... Arne Samuelsen. En Smile Hermannsen.'

'Dat kan geen toeval zijn!'

'Kortom: jij bent ongeveer de enige die nog over is. En het is onmogelijk ook maar iets uit jou te krijgen.'

'Maar...'

'Ja, voor alle drie is er nog een opsporingsbericht uitgegaan. Internationaal zelfs. Arne Samuelsen, Irene Jansen en Smile Hermannsen. Maar ik ben bang dat... tja.'

Iversen bemoeide zich er plotseling mee. 'Smile is nog gezien.'

Ik draaide me naar hem om. 'O ja?'

'Er zijn verschillende getuigen die hem de afgelopen dagen hebben gezien, dronken, in de stad, en hij...'

Bertelsen onderbrak hem scherp: 'Genoeg, Iversen. We delen geen snoepjes uit. Vandaag niet. We hebben al meer dan genoeg losgelaten.' Zonder overgang zei hij plotseling: 'Heb je iets van hem gehoord, Veum?'

'Van wie?'

'Van Arne Samuelsen.'

'Waarom zou ik iets van hem hebben gehoord? Hij heeft geen idee wie ik ben, geen idee dat ik hier ben, geen idee dat zijn moeder...'

'Wie heeft jou dan gisteren in het hotel opgebeld?'

Ik kreeg het warm. 'Gisteren... in het...'

'De receptionist vertelde dat er telefoon voor je was... en dat er zich iets op je kamer heeft afgespeeld.'

'Ik begrijp...'

'Dat werd tijd.'

'Ik begrijp dat jullie in elk geval niet stilzitten. Maar vanwaar die interesse in mij? Er is iemand die mijn aanwezigheid in Stavanger niet prettig vindt. Dat zijn jullie toch niet toevallig? Ze hebben me in de badkamer opgesloten, toen ik een douche nam... en toen ik er weer uit was, kreeg ik telefoon en werd me gevraagd me verder afzijdig te houden, met name van Arne Samuelsen. Het klonk echt als jullie.'

'Hou op met die grappen. Nu komt er ineens van alles boven tafel. Waarom heb je dat niet verteld? Waarom heb je ons niet opgebeld?'

'Ik dacht niet...'

'Dat het ons zou interesseren? Vind je het misschien leuk om in de badkamer te worden opgesloten en bedreigd te worden via de telefoon? Of zit je dat nu te verzinnen, om te verdoezelen dat je echt door Arne Samuelsen bent opgebeld...'

Ik begon nijdig te worden. 'Ik zeg toch... waarom zou Arne Samuelsen mij verdomme bellen, als hij geen idee heeft... als ik wist waar hij was, dan...'

Bertelsen boog zich over zijn bureau. Zijn ogen spuwden vuur en zijn gezicht was bleek. 'Ik heb zo het gevoel dat Arne Samuelsen zich in onze directe omgeving bevindt. Dat hij hier in Stavanger is en een soort... verstoppertje met ons speelt. Dat hij, als we hem niet vinden...' Hij maakte een weids gebaar. 'Irene Jansen. Laura Ludvigsen. En hoe zit het met Smile Hermannsen? En met de andere gasten?'

Ik keek hem aan, en hij zei: 'Ja, hoe zit het met de *anderen,* Veum? Wie waren dat? Heb jij dat misschien al ontdekt?'

Ik zei: 'Er waren er nog twee... nietwaar? Twee mannen? En eentje ervan had een cowboyhoed op?'

'Ja?'

'De enige die ik in Stavanger ontmoet heb die een cowboyhoed draagt, is ene Carl B. Jonsson, veiligheidschef bij het bedrijf waar Arne Samuelsen werkt.'

Hij keek me sceptisch aan. 'Je bent hier nog niet zo lang, Veum. Zo nu en dan denk ik wel eens dat half Stavanger met een cowboyhoed rondloopt. Waar komt deze Jonsson in beeld?'

Ik hief wanhopig mijn armen op. 'Ik heb geen idee. Vraag het hem.'

Hij keek me peinzend aan. 'Omdat hij een cowboyhoed draagt... Als hij een van die bespottelijke advocaten van hem meeneemt, lachen ze zich hartstikke dood. Ik moet iets concreets hebben, Veum... snap je dat?'

Ik haalde mijn schouders op. 'Meer heb ik niet te zeggen.'

We hoorden haastige voetstappen op de gang. Er werd krachtig op de deur geklopt en zonder op antwoord te wachten kwam er iemand binnen. Lauritzen was terug. Hij zag er opgewonden uit. Hij stamelde: 'Ze... ze...'

Bertelsen en ik vroegen in koor: 'Ja?'

Hij slikte en hapte naar adem. 'We kwamen aan. Niemand deed open. Huismeester gehaald. Deur opengemaakt. Er was... niemand.'

'Niemand?' herhaalden Bertelsen en ik in één adem, als een ingestudeerd revuenummer.

Hij sprak nu in iets vollediger zinnen en ademde rustiger. 'We zijn het appartement doorgelopen. In de kamer vonden we aanwijzingen dat er een worsteling kan hebben plaatsgevonden. De stoelen stonden scheef en er lag een lege bloemenvaas op de vloer. En in de badkamer...'

'Ja?' herhaalden de gebroeders Brothers monotoon.
'Er was met lippenstift op de spiegel geschreven, links onderaan... Sir. Met hoofdletters: SIR.'
'Sir?' herhaalde Bertelsen, deze keer alleen. 'Verder niets?'
'Er zat een vreemde lus onderaan de R. Ik denk dat ze gestoord werd.'
'Sir?' Bertelsen proefde aan het woord, 'SIR?' Hij verplaatste zijn blik weer naar mij.

Ik staarde stil en in gedachten verzonken terug, zonder iets te zeggen.

27

De gedachten tolden door mijn hoofd. Elsa. Mijn herinne-
ring aan haar lichaam was nog levendig. Zou het misschien
haar laatste keer zijn geweest? Ik dacht aan de kerels die me
bij de flat hadden opgewacht. Waren ze teruggegaan – en
hadden ze in plaats van mij, haar meegenomen? Of hadden
ze het de hele tijd al op haar gemunt?
Ik keek stiekem naar de klok. Ik had om zes uur met haar
afgesproken. Nog een paar uur. Zou ze misschien toch komen? Was het allemaal maar toeval? Vond ze het gewoon
leuk om SIR op haar badkamerspiegel te schrijven? Deed
het haar misschien ergens aan denken?
Bertelsen vroeg me Elsa te beschrijven en stelde nog een
opsporingsbericht op. Ik had een week gevoel in mijn lichaam, alsof ik de beschrijving van mijzelf hoorde.
Ik keek naar buiten. Het was nog steeds druk bij de drankwinkel. Het zag er vreemd en alledaags uit, naar binnen gaan,
weer naar buiten komen, een fles drank meenemen, naar
huis, naar een grauw en alledaags bestaan, waar het morsen
van koffie op het tafelkleed de meest dramatische gebeur-
tenis was.
Bertelsen kuchte even. 'Nou. Dat was het wel zo'n beetje,
Veum. Voorlopig.'
'Betekent dat, dat ik kan gaan?'
'Ja? Had je iets anders verwacht?'

'Nou, ik...' Ik haalde mijn schouders op als antwoord.
Voor ik bij de deur was, hield hij me tegen door nog eens te kuchen.
'En... Veum...'
Ik draaide me om.
'Geen onderzoek op eigen houtje. Probeer niet in je eentje dat vrouwtje van je te vinden.'
'Ik...'
'Van dit verdwijningsnummer weet je verder niets? Iets dat je ons per ongeluk in de haast vergeten bent te vertellen?'
In een flits zag ik de twee pinguïns in de stationcar. 'Vraag het Ole Johnny', antwoordde ik.
'Ole Johnny? Waarom?'
'Dat is het enige verband dat ik kan bedenken.' Dat moest voldoende voor hem zijn. Als ik hem vertelde over de twee kerels die geprobeerd hadden mij dood te rijden, zou het hem gaan duizelen. Het was misschien de druppel die de emmer zou doen overlopen en hem zou doen besluiten mij vast te houden – voor mijn eigen veiligheid. En als er één plaats was, waar ik nu even niet wilde zijn, dan was het tussen vier muren, achter een stalen deur. Ik had een afspraak, om zes uur. En ik zou er in elk geval zijn.
Ik liep verder naar de deur. Die ging open en er kwam een agent naar binnen gerend. Hij had een telexbericht in zijn hand. ''t Is belangrijk', zei hij buiten adem, terwijl hij het strookje aan Bertelsen gaf.
Ik bleef staan en keek naar Bertelsen. Hij las de inhoud snel door. Zijn ogen werden groter, zijn mond smaller. Ik gaf geen kik. Mijn nieuwsgierigheid had de overhand gekregen.
Zijn blik ging omhoog en hij keek me recht aan. 'Uit Las Palmas. Ze hebben Irene Jansen gearresteerd. Een Noorse toerist heeft haar van het opsporingsbericht herkend.'

171

'Irene Jansen? Maar staat er... heeft ze verteld...'

Hij keek snel weer op het papiertje. 'Ze zegt dat ze het appartement van Samuelsen alleen heeft verlaten. Dat ze niets weet. Dat ze deze vakantie op de Canarische Eilanden al lang geleden had besproken en dat ze de volgende dag is vertrokken. We zullen het wel horen als ze komt. Ze sturen haar morgen hier naartoe. Maar wat ze verdomme ook te vertellen heeft: we zitten met een nieuw raadsel.'

'Inderdaad', zei ik. 'De twee belangrijkste vragen waar deze zaak om lijkt te draaien, zijn: wie heeft de moord gepleegd... maar evenzeer: wie is er eigenlijk vermoord?'

'Wie kan het verdomme dan zijn... die vrouw in de koelkast?' Hij keek me bijna hulpeloos aan.

Ik glimlachte een voorzichtige, scheve glimlach. 'Als je hulp nodig hebt, dan bel je me maar. Ik ga er nu vandoor. Ik heb om zes uur een afspraak.'

Hij werd meteen weer achterdochtig. 'O ja? Met wie?'

'Met mezelf', zei ik en liep snel de gang op.

'Veum!' riep hij me na.

Ik wachtte.

Hij verscheen in de deuropening. 'Hou je gedeisd, Veum.'

'Natuurlijk', zei ik, knikte kort en verliet het gebouw.

Het was even droog tussen twee regenbuien door en er hing een wit licht boven de stad. Ik zag de contouren van de huizen, de structuur van de muren, de scheuren in het houtwerk en de afbrokkelende bakstenen net zo duidelijk als de rimpels in een gezicht dat zo dichtbij is dat je het kunt aanraken. Elsa – ze had niet veel rimpels gehad, nog niet. Maar ze was erg dichtbij geweest, al leek het een eeuwigheid geleden.

Ik liep langs het stadsmeertje naar het telegraafgebouw in de Kannikgate. Ik wisselde een paar briefjes voor munten en zocht een lege telefooncel op. Op de plank voor me lagen twee telefoonnummers, allebei in Bergen.

Eerst draaide ik het nummer van mevrouw Samuelsen. Het duurde lang voor ze opnam en haar stem klonk ijl en mat. 'Hallo?'

'Hallo. Met Veum.'

'O.' Ze klonk niet erg verheugd. Na enig aarzelen zei ze: 'Is er... nieuws?'

'Nee, ik... U heeft niets meer van hem gehoord?'

Dezelfde matte intonatie. 'Van Arne? Nee.'

'Maar de politie... ze zijn toch bij u geweest? Heeft u gehoord wat er is gebeurd?'

'Ja.'

Het werd stil.

Ik verbrak de stilte: 'Zou u... zou ik u een paar dingen mogen vragen, mevrouw Samuelsen? Het... het zou van belang kunnen zijn voor... het onderzoek.'

'De politie heeft gezegd dat ik geen vragen mag beantwoorden. Van niemand.'

'Ze bedoelden zeker van journalisten.'

'Ze noemden met name u, Veum.'

'O? Maar... luistert u nou alstublieft... waaraan is uw man overleden?'

'Mijn man?! Waarom... hij...' Het werd weer stil.

Na een poosje zei ik: 'Hallo?'

'Ja, ik ben er nog. Ik begrijp werkelijk niet waarom, maar als u absoluut... Aan kanker.'

'Ik begrijp dat het moeilijk is om erover te praten, maar... uw dochter, zei u niet dat zij nog geen half jaar later is overleden?'

'Ja', antwoordde ze stilletjes.

'Wat...'

'Ze is verongelukt!' onderbrak ze me fel.

'Verongelukt? Hoe dan?'

'Het was een afschuwelijk auto-ongeluk. Ze was kansloos.

Ze was op slag dood en haar... haar vriend is op weg naar het ziekenhuis overleden. Ze waren onderweg tussen Øystese en Kvanndal, ze moesten een veerboot halen. Ze reden veel te hard. Het was verschrikkelijk... haar te moeten verliezen, zo snel na...'

'Ja, ik begrijp het, ik...'

'Ik kan niet verder praten, Veum. Alstublieft... belt u mij niet meer op. Ik... ik zal Arne nooit meer zien, ik weet het zeker!' Ze barstte in huilen uit en hing op. Ik had haar gesnik in mijn hand en staarde met een lege blik naar de hoorn. Toen hing ik voorzichtig op, om haar niet nog meer pijn te doen.

Ik bleef in de telefooncel staan en keek peinzend voor me uit. Er was niets mysterieus aan de twee sterfgevallen. Zowel de vader als de zus van Arne Samuelsen waren wat men doorgaans een natuurlijke dood noemt, gestorven. Kanker en verkeersongelukken behoorden tot de meest voorkomende doodsoorzaken van het land. Waarom twijfelde ik dan?

Ik draaide het andere nummer. Dat was van een vriendin bij het bevolkingsregister. We gingen op een bijzondere manier met elkaar om en toen ik haar stem hoorde zei ik vrolijk: 'Je raadt nooit wie...'

'De geest uit de fles.'

'Of waar ik ben.'

'Waar dan?' Ze klonk niet bijster geïnteresseerd.

'In Stavanger. Zou je iets voor me kunnen nakijken?'

'Waarom bel je altijd als ik het druk heb, Varg? Kun je niet bellen als ik kerstvakantie heb?'

'Luister... het is een ernstig geval. Het kost niet veel tijd.'

'Ja, ja... Waar gaat het over?' vroeg ze gelaten.

Ik vroeg haar of ze de inlichtingen die ik over de familie Samuelsen had, kon natrekken. 'Kun je me terugbellen?' vroeg ik.

'Over een uur', zei ze.
'Ik sta in een telefooncel en er is hier geen bediening. Zullen we zeggen vijf minuten?'
'Ik heb ook nog wat anders te doen.'
'Je bent een geweldige vrouw.'
'Spaar je complimentjes maar voor iemand die er behoefte aan heeft. Ik doe mijn best. Dag.' Ze smeet de hoorn op de haak.

Ik bleef in de telefooncel staan. In feite waren we goede vrienden. Haar vijf jaar jongere zus was ooit een van mijn weinige geslaagde gevallen geweest, in de tijd dat ik nog bij de kinderbescherming werkte. Ze belde na tien minuten terug.

'Luister', begon ze meteen. 'Ik heb niet de hele dag de tijd. Er ligt hier nog een heleboel werk en die informatie van jou klopt van geen kanten.'

'O nee?'

'In de eerste plaats: er staat geen Arne Samuelsen geregistreerd in dat gezin. De echtgenoot is inderdaad in 1972 overleden, maar de dochter is nog springlevend.'

'O?' Het duizelde me. 'Maar hoor eens... Wat... wat is het adres van de dochter?'

'Het ouderlijk huis. Hetzelfde als de moeder.'

'En je weet zeker dat zij het enige kind is...?'

'Ja, dat zeg ik toch!'

'Maar wie is dan in hemelsnaam de knul die de moeder Arne noemt?'

'Wie is hier nu de detective, jij of ik? Dat moet je zelf maar uitzoeken. Misschien heeft ze een minnaar?'

'Zo jong? Dat lijkt me sterk. Nou, heel erg bedankt. Je hebt verder geen troeven achter de hand?'

'Nee... en ik wens je een goeie zomer, Varg. Een heel goeie zomer!'

'Goeie...'

Ik hing op, volkomen in de war. Ik leunde tegen de muur van de warme, benauwde telefooncel. Ik zag vlekken voor mijn ogen en het duizelde me. Ik verliet de cel en liep de straat op. Buiten op de stoep haalde ik diep adem. Daarna begaf ik me langzaam weer in de richting van de haven, langs de schouwburg en het waaiervormige stationsgebied, naar de drukke verkeerswegen, de voetgangerstunnels en Alexander Kielland.

Op een van de kades was een oploopje. Niet ver weg hoorde ik een politiesirene loeien. Ik versnelde mijn pas en liep er, met een onbehaaglijk voorgevoel in mijn borst, naartoe. Ik kwam ongeveer gelijktijdig met de politieauto aan. Die reed de stoep op en stopte vlak naast de groep mensen. Ik zag mijn kans schoon en volgde de twee politieagenten op de voet door de menigte, naar de waterkant. Iemand had een aan een lijn bevestigde reddingsboei in het water gegooid. Tevergeefs, want de man in het water was niet meer in staat de ronde band met de rode en witte strepen te grijpen.

Hij lag op zijn rug met zijn gezicht omhoog. Zijn gezicht was grauw en bleek en het vuile water spoelde eroverheen, steeds weer. Toch was hij niet moeilijk te herkennen. Zijn mond hapte naar lucht die hij nooit meer zou inademen en hij glimlachte niet. Maar ze hadden de man die Hermannsen heette, dan ook niet vanwege zijn glimlach de bijnaam Smile gegeven.

Ik stond met een groeiende angst in mijn buik naar hem te kijken. Toen trok ik me langzaam van de waterkant terug, achterwaarts door de mensenmassa. Ik keek niemand aan en toen ik aan de rand van de menigte was gekomen, draaide ik me om en liep ik half verdoofd de stad weer in. Eerst langzaam, toen sneller.

28

Bij de binnenhaven volgde ik de westelijke kade, ik stak de straat over en holde door de wirwar van smalle straatjes, die me deed denken aan het Bergen waar ik als kind was opgegroeid. Ten slotte bleef ik hijgend tegen een muur leunen. Mijn voorhoofd deed pijn en mijn oren suisden. Er dwarrelden zwarte vlekjes voor mijn ogen, als parachutisten in de verte, en ik had een bloedsmaak in mijn mond. Onwillekeurig keek ik achterom, maar ik werd niet gevolgd. Nog niet. Een oudere dame bleef staan en vroeg of ik me niet goed voelde. Ik probeerde te glimlachen en zei nee, alleen een beetje duizelig. Om verder geen aandacht te trekken, liep ik door, steeds verder naar het noorden, het centrum zo ver mogelijk achter me latend.

Bij het muziekcentrum Bjergsted tekenden de kale bomen donkere novembersilhouetten tegen de witte lucht. Ik liep om het lage, donkerrode gebouw heen, naar het aan het water gelegen terras en leunde over de balustrade. Door de grote ramen staarden bleke gezichten naar mij, als vanuit een aquarium. Ik voelde de hele tijd hun ogen in mijn rug, wat het gevoel versterkte dat er iemand achter me aan zat.

Ik staarde doelloos naar de overkant van het water. Drie doden. Het werden er veel. De vrouw in de koelkast. Laura Losjes. En nu Smile Hermannsen. Elsa was verdwenen en

zelf was ik bijna doodgereden, eerder op de dag. En waar
was Arne Samuelsen? En wie was hij?

Als mevrouw Samuelsen geen zoon had, wie woonde er
dan in het appartement? De dochter in Bergen zou me vast
het een en ander kunnen vertellen – als ze nog steeds in
Bergen was. Ik zou mevrouw Samuelsen nog eens kunnen
opbellen, maar het leek allemaal te weinig samenhangend,
te zinloos. Waar waren die leugens goed voor, over haar dochter, en over haar zoon?

Ik probeerde Arne Samuelsen voor me te zien, maar het
beeld werd wazig. Dreef hij ook ergens in de haven, net als
Smile Hermannsen? Of lag hij ergens met een gebroken nek
onderaan een trap en moest het net een ongeluk lijken? Of
sloop hij in de schaduw van de huizen door de straten, op
zoek naar iemand?

Er moest die woensdag iets in zijn appartement zijn gebeurd. Van de zes mensen die erbij waren geweest, waren er
nu minstens drie dood. Over bleven Arne Samuelsen zelf en
de twee onbekende mannen. De man met de cowboyhoed
en nog een.

Maar wat was er gebeurd? Waar werd deze plotselinge epidemie van gewelddadige sterfgevallen door veroorzaakt?

Ik stond met mijn ellebogen op de balustrade naar de lucht
te staren tot ik het koud kreeg. Een blauwgrijze schemering
zakte langzaam over de stad. In het oosten vlocht de nacht
zijn eerste zwarte weefdraden in het wolkendek. De temperatuur daalde.

Ik rilde, zette de kraag van mijn jas op en slenterde weer
om het gebouw heen. Door de poort naar buiten had ik gezelschap van een handjevol muziekstudenten met fletse
avondgezichten. Een paar van hen droegen een instrumentenkoffer, de anderen hadden alleen een schoudertas.

Ik had met Elsa om zes uur in de bar van het hotel afgesproken. Als iemand het op mij had gemunt, hield hij vermoedelijk het hotel in de gaten. En als Elsa echt iets was overkomen, had het geen zin om op de afgesproken plaats te verschijnen.

Ik zou de ingang van het hotel in het oog kunnen houden, om te zien of ze kwam. Maar waarschijnlijk zouden ze mij dan ook ontdekken. En de straten rond het hotel waren donker en onoverzichtelijk, terwijl het binnen licht was – hoewel gedempt – en daar waren in ieder geval mensen. Andere mensen, onschuldige mensen.

Ik koos een ingewikkelde omweg en bereikte het hotel via de dichtstbijzijnde zijstraat. Ik liep snel het bordes op en ging naar binnen. Niemand hield me tegen. De receptionist keek me onverschillig aan en pakte de sleutel van mijn kamer. Ik wuifde afwerend en ging de bar binnen. Ik hing mijn jas op en keek om me heen. Het was nog zo vroeg dat er maar weinig tafeltjes bezet waren.

Benjamin Sieverts zat alleen aan de bar, hoog op een smalle barkruk. Zoals hij daar zat, met beide handen om zijn whiskyglas gevouwen en met een bezorgde uitdrukking op zijn gezicht, deed hij me denken aan iemand die het record paalzitten probeerde te verbeteren en het al twintig dagen volhield.

Ik klom op de kruk naast hem, knikte en zei: 'Leuk je weer te zien, ouwe jongen. Hier gebeurt tenminste nog eens iets.'

Hij draaide zich snel naar me om. Zijn gezicht was grauw en er stonden zweetdruppeltjes op zijn bovenlip. Zijn blik dwaalde langs me heen de zaal door en weer terug. 'Wie... bent u?' vroeg hij zwakjes.

Ik keek hem verbouwereerd aan.

'U moet zich vergissen', zei hij snel. 'U verwart mij met iemand anders.'

Ik lachte verbluft. 'Luister eens, Sieverts, ik...'

Hij onderbrak me, op scherpere toon en zo afwijzend dat het voor een publiek bedoeld moest zijn. 'U vergist zich, zeg ik! Hoort u dat, u vergist zich. Ik heb u nog nooit gezien, nog nooit van u gehoord, ik heb u nog nooit ontmoet.' Zijn ogen waren erg onrustig, zijn pupillen opmerkelijk klein. Het zweet parelde op zijn voorhoofd. Hij greep zijn glas en dronk het in één teug leeg. Haastig en zonder nog iets te zeggen verliet hij zijn kruk en liep hij naar de deur. Hij had zijn recordpoging opgegeven en verlangde naar een goede nachtrust.

Ik staarde hem na. 'Benjamin Sieverts,' zei ik bij mezelf, 'de man die nooit een gezicht vergeet.'

Ik ging hem niet achterna. Dat zou ons geen van beiden geholpen hebben. Toen ik mijn zenuwen weer in bedwang had, bestelde ik een jus d'orange. Ik zat schrijlings op mijn kruk, met een elleboog op de toog en het gezicht op de ingang.

Een nogal dikke man van achter in de dertig klauterde op de kruk naast me. Hij had het stadium van dronkenschap dat men aangeschoten noemt, al ver achter zich en op een toon alsof hij voorging in de begrafenis van zijn beste vriend bestelde hij een dubbele whisky en een halve liter bier.

Hij zat voorovergebogen, met het bierglas in zijn ene en het whiskyglas in zijn andere hand. Hij dronk afwisselend uit beide glazen, alsof hij de smaken vergeleek.

Ik keek op de klok. Het was kwart over vijf.

'Wat drink jij, maat?' Zijn vochtige ogen waadden van mijn glas naar mijn gezicht zonder ergens een houvast te vinden.

Zijn haar was erg dun en dwars over zijn bezwete, kale kruin plakten een paar lange, goudblonde haren. Doordat zijn bovenlip voller was dan zijn onderlip, zag hij eruit als een goedaardige pad. Zijn wanhopige uitstraling kwam me bekend voor. Hij zag er ongeveer uit, zoals ik me gewoonlijk voelde.

'Sinaasappelsap', antwoordde ik.

Hij keek me ongelovig aan. 'Echt?' vroeg hij. Hij wuifde met een paar korte, krachtige armen die in twee flinke werkhanden eindigden. 'Ik kan je wel wat anders aanbieden...' zei hij, om me duidelijk te maken dat zulk slap slootwater als sinaasappelsap zijn gulheid niet waard was.

'Dank je wel, maar... dit volstaat.'

Hij concentreerde zich weer op zijn twee glazen. Na een poosje liet hij zich van allebei nog eens inschenken. De barkeeper wierp een wrange blik op mijn halfvolle glas en negeerde mij volkomen.

Mijn buurman boog zich weer naar me toe. 'Nooit meer, maat.'

Ik vroeg beleefd: 'Nooit meer wat?'

Hij wees met een stompe vinger naar een van de muren, in de richting van de Noordzee. 'Nooit meer daarheen. Never!'

Ik knikte zwijgend.

Hij zwom mijn gezicht weer binnen. 'Ik was aan boord toen de *Alexander Kielland* kapseisde, maat.'

Ik knikte weer.

'Godzijdank sliep ik niet. Ik deed een spelletje patience, kon niet slapen, je weet hoe dat gaat, zo moe als een hond, maar...' Hij zwaaide een arm naar achteren, alsof hij iets wilde illustreren. 'Ik herinner me niet... Maar opeens hoorde ik een knal en meteen begon het hele platform over te hellen. Ik begreep er eerst helemaal niks van. Dacht dat ik niet goed was geworden... dat ik flauwviel. Toen snapte ik het... en toen ben ik naar buiten gerend, de ladder op, naar de frisse lucht, net op tijd om te merken dat de hemel links was en de zee rechts en de horizon zelf een verticale streep voor me uit. Verder weet ik niks meer, alleen dat ik in het koude water lag en een beetje heen en weer dobberde, en dat ik zout water binnenkreeg en dat ik allemaal geschreeuw om me heen hoorde. D'r lag er een vlak bij me in het water te spartelen. Ineens verdween hij onder water en toen hoorde ik niks meer. Ik bleef maar door trappelen, steeds kouder, steeds langzamer. De handen die me omhoogtrokken, waren... onzichtbaar. Ik weet er niks meer van. Ik heb niks gezien. Ze zeiden dat ik bewusteloos was. Loodzwaar. Maar toen we op de luchthaven aankwamen en ik uit de helikopter stapte, toen heb ik me naar zee omgedraaid, op het asfalt gespuugd en gezegd: "Nooit meer! Never!"

Hij leek nu wat nuchterder. Zijn ogen kwamen langzaam tot rust. 'Ik ben door een hel gegaan, daarna. Ik giet me tot de nok toe vol met drank om te kunnen slapen en dat ligt dan binnenin me te klotsen. Als ik wakker word, ben ik drijfnat van het zweet en dan denk ik dat ik weer in het water lig. Dan lig ik maar te trappelen. Mijn vrouw is naar de kinderkamer verhuisd. Ze kan niet slapen omdat ik zo lig te woelen, zegt ze. Ik snap het wel. Als ik 's morgens wakker word, heb ik niet het gevoel ook maar een seconde geslapen te hebben... en 's morgens verdwijnt die angst pas als ik mijn eerste slok bier uit de koelkast neem. En zo gaat dat maar door, dag in, dag uit. Weet jij wat angst is?'

Ik kauwde op die vraag. 'We hebben allemaal wel onze kleine...'

'Ik heb het niet over al die kleine angsten, maat. Ik heb het over de *grote* angst. Die zijn klauwen in je zet en je niet meer loslaat, dag en nacht. Het enige wat je dan nog kunt doen, is jezelf verdoven. Met pillen of drank of God mag weten wat.'

Hij dronk zijn glas whisky in één teug leeg en spoelde het weg met een grote slok bier. Hij gaf de barkeeper een teken dat hij er nog twee wilde. 'Als Mari... mijn vrouw d'r niet was geweest. Zij begrijpt me en troost me en ze is zo lief als maar kan. Maar zij heeft de angst niet gevoeld, zij heeft niet meegemaakt hoe in een mum van tijd de hele wereld onder je wegzakt, zij heeft niet urenlang in die grote, donkere zee liggen trappelen. Nat... en koud en... En dan vraag ik je, mister...'

Hij greep me bij mijn revers en het viel me op dat hij overging van maat op mister. 'Dan vraag ik je: wie z'n schuld is het? Nou?' Hij keek me woest aan. 'Ben jij soms ook zo'n kloterige olieambtenaar? Die een beetje op z'n reet zit, en de hel op aarde en de duivel en z'n ouwe moer voor ons daarbuiten op het platform bedenkt... maar de veiligheid, hoe zit het verdomme met de veiligheid?'

Hij viel bijna over me heen, dus ik greep hem bij zijn polsen en probeerde hem van me af te duwen. 'Rustig maar, maat', zei ik zacht. 'Zo eentje ben ik niet. Ik begrijp je!'

Ik probeerde zijn blik te vangen. Hij zakte terug op zijn kruk, liet mijn jasje los. Hij bleef zitten en mompelde wat in zijn twee glazen, alsof hij de echo wilde testen. Toen draaide hij zijn gezicht weer naar mij toe. 'Sorry, maat. Ik... ik moet almaar denken aan die verdomde doodskist, die ze nu proberen om te draaien, hier buiten in de fjord. Ik zie almaar m'n maten voor me, die d'r nog in liggen, in die roestige reuzenradiator. Ik zie hoe ze langzaam oplossen, tot bleke, rottende geesten, met krabben in hun oogkassen en vissen die rondzwemmen in wat ooit hun maag was. Ik zie ze... ik zie ze!'

De laatste zin kwam zacht, bijna onhoorbaar, maar met de kracht van de herhaling: 'En wie z'n schuld is het?'

Toen liet hij zijn schouders hangen en keerde hij voorgoed naar zijn glazen terug. Hij zei niets meer tegen me en ik kon niets bedenken om over te praten. Er bestonden geen juiste woorden.

Ik keek weer op de klok. Kwart voor zes.

Ik deed een knieval en bestelde nog een jus d'orange. Ik

had beide ogen nu op de deur gericht. Ik probeerde haar voor me te zien, vroeg me af of ze dezelfde kleren aan zou hebben als gisteren, of...

Tien voor zes. In de deuropening dook een vrouw in een bontjasje op. Ik haalde diep adem. Maar ze was blond en hoewel ze een pruik op had kunnen hebben, waren haar gelaatstrekken niet die van Elsa. Ze liep me voorbij met de gang van een luie antilope, omgeven door een geur van Afrikaanse savannes. Ze sloeg haar kamp op bij een tafeltje in de buurt en had meteen gezelschap.

Vijf voor zes. Twee jonge mannen kwamen binnen, keken de zaal door op zoek naar bekenden, overlegden even en vertrokken weer.

Zes uur. Mijn glas was weer leeg. Die van mijn buurman werden weer bijgevuld.

Het geluid was toegenomen. De stemmen waren luider geworden, de glazen werden sneller geleegd, de muziek uit de luidsprekers moest wat harder worden gezet om opgemerkt te worden.

Ik zat met het lege glas in mijn hand te spelen.

'Sir', zei ik hardop voor me uit. Het klonk als een aftershave voor mannen van de wereld, maar ze had vast geen reclame op haar toiletspiegel achtergelaten.

Het zou ook de naam kunnen zijn van een van de betere herenbladen, met advertenties voor de fraaiste auto's, de dikste sigaren en de duurste spirituosa en met roze droommeisjes op imponerende middenpagina's.

Of...

Of wat?

Het begin van een woord. Sir. Het begin van een naam. Een plaats op Jæren. Sirevåg.

Ik proefde eraan. Sirevåg, Sirevåg. Waar had ik over Sirevåg gehoord? Wie had me over Sirevåg verteld?

Ik dacht zo diep na dat ik er bijna hoofdpijn van kreeg, tot het ineens tot me doordrong. Als een bliksemschicht schoot het door me heen.

Sirevåg! Benjamin Sieverts had me verteld dat Ole Johnny een vakantiehuis had in Sirevåg.

Ole Johnny. En het waren de pinguïns van Ole Johnny die vlak bij haar flat geprobeerd hadden mij te overrijden. Waarschijnlijk waren ze teruggekomen.

Ik keek weer op de klok. Het was kwart over zes. Ik hoefde niet langer te wachten. Ik wist dat ze niet meer zou komen.

Ik sprong van mijn kruk en liep naar de receptie. Daar was een telefoon, achter een glazen deur. Hij was vrij. Ik ging naar binnen en pakte wat kleingeld.

Toen bleef ik naar het apparaat staan staren. Ik zou de politie kunnen bellen. Ik zou de politie *moeten* bellen.

Maar ik begon te twijfelen. Het was maar een vermoeden. Een woordcombinatie. Sir, dat kon nog zoveel meer betekenen. Zouden ze het serieus nemen? Hadden ze geen belangrijker dingen te doen?

Ik wierp een munt in het apparaat en belde het autoverhuurbedrijf dat me ooit, in een vlaag van verstandsverbijstering, een creditcard had toebedeeld. Het filiaal op de luchthaven was open zolang er nog vliegtuigen landden. Ik kon direct een auto krijgen, maar als ik wilde dat hij bij het hotel werd afgeleverd, kon dat wel een uurtje duren.

Ik antwoordde dat ik een taxi nam, gaf door aan de receptie dat ik niet wist wanneer ik terug zou zijn en verliet het hotel.

Ik was op weg naar Sirevåg.

29

Toen ik die donkere novemberavond door Jæren reed, was het net of ik langs het einde van de wereld reed. De dorpjes lichtten als oases op in het zwarte, laag begroeide landschap. Platgedrukte boerderijen verschansten zich achter keienmuurtjes en door de wind vervormde bomen, die de zee de rug toekeerden en zich naar de huizen bogen alsof ze zich wilden warmen. Op de velden langs de weg lag de rijp van de eerste winterse vorst. In het zuiden vormde de zee een lege, zwarte ruimte en er stond een bijtende, ijskoude zeewind. Ik had het gevoel dat ik, als ik van de weg zou raken, in een eindeloze duisternis zou verdwijnen, een bodemloze lege ruimte, een nacht zonder ochtend. Onverklaarbaar zweefden enkele verlichte hemelschepen daarbuiten in het donker. Toen ik de auto langs de weg zette en uitstapte om mijn benen te strekken, hoorde ik het eeuwige geruis van de zee, als de roep van duizenden doden: kommmm, kommmm, kommm... Ik liep snel een rondje om de auto, maakte mijn veiligheidsriem extra stevig vast en reed verder naar het zuidoosten, alsof de duivel me op de hielen zat.

De branding in de Ognabukt sloeg grijswit op het rotsachtige strand. De camping die tussen de weg en de zee was aangelegd, lag volslagen in het duister. De her en der verspreid staande trekkershutten deden me denken aan grafstenen. Aan de andere kant van de baai lag Sirevåg. De weinige vakantiehuisjes stonden op het uiterste puntje van de rotsen aan zee, maar buiten bereik van de branding. In een van de huisjes brandde licht. Het zag er eenzaam uit – en het was erg opvallend, op een novemberavond als deze.

Op de weg rond de baai reed ik even gelijk op met een trein. Toen ik afsloeg naar Sirevåg, joeg hij verder naar het oosten, als een lange, lichtgevlekte slang met het onverbiddelijke jakketi-jak, jakketi-jak tegen de rails. Bij de zijweg die naar de huisjes leidde, parkeerde ik de auto zodanig dat hij met de voorkant weer in de richting van de hoofdweg stond. Aan een plank langs de weg hing een handjevol brievenbussen. Op een ervan stond alleen *Pedersen*. Dat zou iedereen kunnen zijn, maar het was ook de achternaam van Ole Johnny. In de smalle macadamweg naar de huisjes zag ik diepe wagensporen.

Het verlichte Sirevåg lag wat lager, aan het water. Enkele vissersschuiten dobberden als meeuwen langs de kade. Het rook naar zoute zee en olie. Er zat natte sneeuw in de lucht en de wind rukte aan mijn haar. Het weggetje was geheel verlaten. Als ik nu verdween, zou niemand weten waar ik was gebleven en slechts weinigen zouden me missen.

Ik deed de auto op slot en woog de autosleutels in mijn hand. Toen bukte ik me en legde ze boven op het linker voorwiel.

Op de top van het steile weggetje sloeg de wind in mijn gezicht, met zo'n kracht dat ik naar lucht moest happen. De vlokken natte sneeuw voelden als vochtige plukken wol tegen mijn gezicht. In de verte, boven op een rots, lichtte het eenzame huisje op en op een privéparkeerplaats langs de weg, stond een grote, zwarte stationwagen die ik eerder gezien meende te hebben.

Ik keek om me heen. Er bewoog niets, maar het geruis van de zee maakte het moeilijk geluiden op te vangen. Ik pakte mijn zakmes, klapte het blad uit en stak alle vier de banden lek. Ik was op mijn hoede, en ik was bang. Ik had een bitterzure smaak in mijn mond. Het paadje omhoog was rotsachtig en glad. Ik liep behoedzaam in de richting van het licht, als een mot aangetrokken door het schijnsel.

Toen ik dichterbij kwam, kon ik het huisje onderscheiden. Het was gebouwd in een L-vorm, met een prachtig uitzicht op zee. Aan de zeezijde liep de helling steil af, zodat het natuurstenen fundament aan die kant zeker drie, vier meter hoog moest zijn. De vleugel aan de achterkant van het huis telde drie deuren, maar er waren geen ramen, dus ik nam aan dat het opslagruimtes waren en misschien een wc. Ik richtte mijn aandacht op de verlichte ramen van het hoofdgebouw. Ik liep voorzichtig in een boog om het huis heen, buiten bereik van het licht. Aan de zeezijde was een panoramaraam dat het grootste deel van de wand besloeg. Het licht stroomde omlaag naar het kolkende water, maar het raam zat veel te hoog om naar binnen te kunnen kijken. Ik liep weer terug, mijn blik strak op het huis gevestigd. Achter de meeste ramen brandde licht, maar verder was er geen enkel teken van leven.

Ik trachtte een indruk van het huis te krijgen. De enige deur die ik zag, was aan de achterkant. De ramen aan die kant waren klein en zaten vrij hoog.

Ik was nu vlak bij het huis. In het fundament zat ook een aantal raampjes, maar die waren afgesloten met stevige houten luiken en aan de buitenkant vergrendeld.

Ik liep het terras in de hoek van de L op. Rechts van de deur lag een lege viskrat. Die zette ik voorzichtig tegen de muur onder een van de ramen.

Ik voelde eerst voorzichtig met één voet en stapte er toen op. Met mijn vingers in het raamkozijn hees ik mezelf op, centimeter voor centimeter.

Ik zag een lange, smalle zitkamer. Links waren drie deuren naar andere kamers, waarschijnlijk slaapkamers. Bij het panoramaraam was de kamer breder, ook L-vormig. Daar was bij een stevige, lage houten tafel een zitje, waar je met een drankje, een goede sigaar en een aardige vrouw naast je, een uitzicht kon aanschouwen dat je maag deed rommelen. De man die in een van de stoelen zat had het drankje en de sigaar. Verder leek hij alleen te zijn.

Het was een grote man, met kortgeknipt haar en een krachtige nek. Ik kon zijn gezicht niet zien, maar ik wist zeker dat ik hem eerder had gezien.

Ik vroeg me even af waarom hij alleen was. Direct daarna kreeg ik het antwoord.

Een fractie van een seconde hoorde ik een snelle beweging achter me. Toen werd ik door een paar krachtige armen opgepakt en van de viskrat afgetild alsof ik een garnaal was.

De man achter me draaide me ruw om en duwde me tegen de muur. Achter hem zag ik dat een van de deuren in de zijvleugel wijdopen stond. Een lege pleebank gaapte me openlijk aan: net zo open als het genadeloze, gedrongen gezicht voor me. De man bekeek mijn gezicht eerst goed en ontblootte toen zijn tanden, perste me met zijn linker onderarm tegen de muur en sloeg me met zijn rechterhand hard in mijn gezicht.

Terwijl ik tegen de muur in elkaar zakte, stak ik mijn tong zinloos in de lucht, alsof ik een sneeuwvlok wilde opvangen.

30

Er drukte iets plats en hards tegen mijn lippen. De bittere smaak van lak. Mijn hoofd voelde aan als een glazen ballon, gevuld met loden kogels. Ik lag met mijn gezicht tegen de vloer. De stemmen die me bereikten, klonken langgerekt en vervormd en het duurde even voor ik woorden kon onderscheiden.

'...nu?'

'Nee. We moeten eerst met de baas praten. We kunnen het risico niet nemen.'

'Maar van hem mochten we hem vanochtend al om zeep helpen.'

'Ja, maar toch. Neem jij de verantwoording op je als hij van gedachten is veranderd?'

'Nee, nee... maar...'

'Hij komt morgenochtend. We hoeven alleen maar te wachten.'

'Wat denk je dat we... Ik bedoel, hoe?'

'Moet je eens naar buiten kijken. Zie je de zee? Die heeft honger. Gewoon een ongeluk. Ze verdrinken allebei.' De man die sprak, lachte laag en hees. 'Zelfmoord misschien, na een laatste liefdesnacht. Dat is nog eens romantiek, Kalle.'

'Dus zij ook?'

'Waarom denk je dat we haar hierheen hebben gehaald? Ze weet te veel, zei de baas.'

Mijn nek prikte. Ik voelde hoe mijn nekharen rechtop gingen staan. Mijn armen waren achter mijn rug gebonden. Hard metaal klemde om mijn polsen. Hoogstwaarschijnlijk handboeien.

Mijn tong voelde groot en droog aan en ik had een bittere bloedsmaak in mijn mond.

De stemmen kwamen terug. De een was talmend en lui. De ander klonk wrevelig, driftig. De talmende zei: 'Zeg... Jolle?'

De ander knorde.

'We hoeven dat lekkere hapje in de kelder toch niet de hele nacht onaangeroerd te laten, hè?'

Ik kreeg een hol gevoel in mijn maag.

'Die hoer? Nee, ik zou niet weten waarom. Zolang we maar netjes met haar omgaan.'

'Netjes?'

'De baas wil haar hebben... *heel*, heeft hij gezegd.'

'Ach, hij wil gewoon zelf ook nog een beurt!'

'Is dat zo raar? 't Is een lekker ding... voor een hoer.'

Het enige antwoord dat hij kreeg, was een smakkend geluid.

Er kwamen zware voetstappen op me toegelopen. Ze stopten vlak naast me. Er prikte een scherpe laars in mijn ribben.

'Hé, speurneus! Leef je nog?'

Ik bewoog me niet.

De stem bij het raam zei: 'We kunnen hem maar beter opsluiten, voor... de pret begint. Als hij ontsnapt, kunnen we allebei wel naar Amerika emigreren.'

Knor, knor. Opnieuw een laars in mijn zij.

Ik bewoog nog steeds niet. Hij schoof zijn voet onder me en rolde me om. Mijn hoofd sloeg tegen de grond. Mijn armen lagen klem onder me. De handboeien drukten in mijn huid en ik kreunde zacht.

Ik deed mijn ogen open.

Vanuit kikkerperspectief leek de man boven me net een vierkante nachtmerrie. Alles aan hem was groot en massief, van zijn voeten tot zijn ogen. Hij had kort haar, gemillimeterd. Zijn bovenlichaam stond bol van de proteïnen. Hij droeg vanavond geen zwart met wit, maar hij hoorde zonder twijfel thuis in de stal van Ole Johnny.

'Hallo, hallo', zei hij. 'Onze vriend is wakker geworden, Kalle.'

Andere zware voetstappen: nog zo'n angstaanjagende verschijning. 'Hij ziet er niet helemaal fit uit.'

'Als hij moeilijkheden veroorzaakt, gaat hij er nog slechter uitzien.'

'Hoor je dat, speurneus?'

Mijn stem klonk als gemalen grind. 'Jullie maken een fout, jongens.'

Kalle schopte me hard en gemeen in mijn zij. Ik kreunde. Hij zei: 'Hou je bek. Je moet je bek houden, zak.'

'Vraag me dan niks', kreunde ik.

Nog een schop, maar niet zo hard, meer om duidelijk te maken wie de baas was.

'Help eens, Jolle.'

Ze tilden me op alsof ik een zak vuil wasgoed was. Het plafond boven me deinde en ik voelde me misselijk worden.

Ze droegen me de kamer uit, een smalle trap af. Ik rook de kille lucht van een kelder. Voor een deur liet Kalle mijn benen los. Jolle hield mijn bovenarmen stevig vast.

Kalle schoof een zware, ijzeren grendel opzij, haalde een sleutel tevoorschijn en maakte een massieve houten deur open. Die zwaaide met krijsende scharnieren open. Jolle duwde me voorover en schopte me hard tegen mijn stuitje. Een felle pijn schoot langs mijn ruggengraat omhoog en verspreidde zich als een vonkenregen in mijn hoofd. Ik tuimelde blind naar voren, stootte tegen een stenen muur en gleed hulpeloos langs de muur omlaag tot mijn hoofd ruw werd tegengehouden door de vochtige keldervloer. Ik meende een beweging naast me te bemerken, het zwakke ritselen van kleding, een bijna onmerkbare geur van een vrouw, tot ze haar wegtrokken. Haar hand streek even langs mijn hals en half vragend, half roepend zei ze mijn naam: 'Varg, o...'

De driftige stem onderbrak haar. 'Jij gaat met ons mee, kleintje. Je vriend heeft rust nodig. Wij...'

'Wij hebben de tijd. En we barsten van de energie', klonk de talmende stem.

'Blijf met je handen van...' Meer kon ze niet uitbrengen, er werd een grote hand over haar mond gelegd en daarna werd ze naar buiten getrokken. Ik hoorde haar schoppen en slaan, maar ze was veel te licht, veel te klein. De geluiden werden zwakker verderop in de gang.

Ik draaide me om en kreunde van de pijn.

Kalle stond te wachten. Hij bukte zich en hees me op tegen de oneffen stenen muur. Hij hield me overeind en bonkte me tweemaal, driemaal, viermaal met mijn rug tegen de muur. Je hoeft niks te proberen, speurneus. Je zit hier veiliger dan in de staatsgevangenis. Hier heb je een pilletje.' Met een verrassend snelle beweging liet hij me tegelijk met beide handen los, gaf me eerst met zijn linker en daarna met zijn rechterhand een oorvijg, en als een halflege zak rotte aardappelen zakte ik op de vloer in elkaar.

De deur sloeg dicht. De sleutel werd omgedraaid in het slot en de zware grendel schoof op zijn plaats. Zijn zware voetstappen klonken door de gang. Toen pas tilde ik mijn hoofd op en zei ik tegen de deur: 'Zoals Groucho Marx altijd zei... Ik vergeet nooit een gezicht, maar voor jou wil ik een uitzondering maken.'

Ik was te oud om zoiets recht in iemands gezicht te zeggen en deuren sloegen zelden terug.

31

Ik betrapte mezelf erop naar geluiden te liggen luisteren. Ik moest steeds aan Elsa denken en aan wat ze nu met haar uitvoerden. Ook al leefde ze honderd keer van dat soort dingen, dan deed ze dat uit eigen vrije wil en niet... zoals dit. Een paar keer kon ik wat vage geluiden onderscheiden: gesteun, een vrolijke uitroep, een dreun tegen de vloer. Maar er was geen patroon in te onderscheiden en ik kon onmogelijk bepalen hoe ver het programma gevorderd was.

Mijn pijnlijke ogen begonnen aan het donker te wennen. Ik lag op de vloer van een kleine, ongeveer vierkante kelder. Er stond niets in: geen bank, geen kast. Hoog in een muur zat een raampje. De binnenkant van het raam was afgedekt met een stevige hor met sterk gaas. Aan de buitenkant ontwaarde ik de dikke houten luiken die ik buiten gezien had. De deur zat in de tegenoverliggende muur.

Het was er koud en vochtig en langs de buitenmuur voelde ik rijp. Ik was op mijn zij gaan liggen. De boeien zaten erg strak. Ik probeerde voorzichtig of ik mijn handen eruit kon wringen. Het leek onmogelijk.

Ik kromde mijn lichaam als een embryo en strekte mijn armen achter mijn rug. Door eerst mijn ene been door de opening tussen mijn armen te trekken en daarna het andere, kreeg ik de boeien aan de voorkant van mijn lichaam. Dat was prettiger. Ik hield mijn handen voor mijn gezicht.

Mijn polsen zaten al onder de schaafwonden en de handboeien zagen er deprimerend nauw en degelijk uit.

Ik ging op mijn knieën zitten, stond helemaal op. Ik voelde met mijn vingertoppen langs de deur. Die sloot helemaal in de sponning. De scharnieren waren binnenin de sponning vastgeschroefd. Met een hulpmiddel zou ik het slot misschien kunnen forceren, maar om de grendel aan de buitenkant kapot te krijgen, had ik een olifant nodig.

Ik moest aanvaarden dat ik opgesloten zat, hulpeloos als een vlinder aan een speld, genadeloos als een witte muis in een laboratoriumkooi. Ik kon niet anders dan wachten tot mijn bewakers terugkwamen.

Ik voelde een enorme aandrang om te slapen, gewoon te gaan liggen en alles proberen te vergeten: wegdrijven in een barmhartige roes...

Maar slapen was het domste dat ik kon doen. Ik moest blijven bewegen, voorkomen dat mijn spieren stijf werden, me opladen voor hetgeen dat komen *moest*, als ik überhaupt kans wilde maken de volgende dag te overleven.

Ik dacht aan Ronald Reagan. Het zou een verademing zijn om zijn presidentschap niet te hoeven meemaken, maar toch... daar offerde ik mijn leven niet voor op.

Ik dacht aan Solveig. Met een diepe zucht legde ik mijn hoofd tegen de koude muur en dacht aan haar zachte liefkozingen, haar voorzichtige vingers over mijn gezicht, haar zachte lippen tegen mijn hals en mijn borst en mijn buik...

Ik kreeg tranen in mijn ogen.

Ik begon te lopen. Ik liep heen en weer, van de ene muur naar de andere. Ik dacht aan de plaatsen waar ik gelopen had, buiten, onder de blote hemel... over de heuvels rond Bergen, over de Hardangervidde een jaar of tien, vijftien geleden, door de straten van Parijs, en duizenden, duizenden keren door Nordnes. Ik probeerde het uiterste puntje van

Nordnes voor me te zien, op net zo'n winternacht in november. De bomen in het park zijn bijna kaal, alleen de laatste, bruine bladeren zitten er nog aan. Het zeebad is uitgestorven en stil, en er ligt een sluier van vorst over het gele gras. Aan de overkant van de Byfjord ligt het eiland Askøy, met fonkelende lichtjes en met vlak onder de sterren wellicht een witte streep van de eerste verse sneeuw. De fjord is zwart en stil en je hoort het zachte geluid van het water dat aan de vloedlijn tegen de trossen zeewier spoelt. Ergens links aan de overkant van het water klinkt driftig getoeter, rechts in de verte hoor je de laatste avondbus van Lønborg naar het centrum. En je leeft. Het is november, maar het is niet de laatste nacht van je leven en je gaat nog niet dood. Je bent op Nordnes, Nordnes...

Half verblind keek ik naar de donkere stenen muren om me heen, de stevige houten deur. Varg, Varg... was dit het einde? Van alles? Zou Solveig over een paar dagen in de krant over me lezen, over een lijk dat ergens langs de kust van Jæren was aangespoeld? Zou ik... sterven?

Ik liep. Ik lette niet op de tijd, probeerde de minuten niet te tellen. Het donker was nog net zo zwart, de kou nog bijtender.

In de verte hoorde ik een rauwe lach, dichterbij dan voorheen. Ze kwamen de trap af. Ik hoorde Elsa niet, alleen de twee andere stemmen. De talmende klonk nu helemaal suf, de driftige had zijn angel verloren. Ze klonken als tevreden paarden na een maaltijd.

Ik kroop ineen op de vloer, in een hoek. Ik deed mijn ogen dicht en probeerde regelmatig te ademen, alsof ik sliep.

De grendel werd opzij geschoven. De sleutel hakte in het slot en werd omgedraaid. De deur ging voorzichtig open, helemaal. Een van hen zei: 'Hij ligt daarginds. Ik geloof dat hij... slaapt.'

'Nou, kleintje... Nou mag je je vriend troosten, als hij wil. Vergeet niet... dit is zijn laatste nacht.' Een grove lach. 'Maar dan moet hij wel van schuurpapier houden', zei de ander.

'Moet je zien... hij heeft z'n handboeien aan de voorkant.' 'Ach, laat maar, wat maakt het uit, hij krijgt ze toch niet af. Kom, wij hebben onze rust wel verdiend.' 'Ja, na deze inspanning... Bedankt, kleintje... Nog een kusje?'

Ik hoorde wat vage geluiden en een gesmoorde lachhik. Toen tuimelde ze de kelder in. Ze tastte met haar handen en ging langzaam zitten, voorzichtig, als een oude dame. De deur sloeg achter haar dicht en het ritueel met de sleutel en de grendel volgde onverbiddelijk. De zware stappen verdwenen de trap op.

In de stilte hoorde ik een zacht gesnik. Ik tilde mijn hoofd op.

Ze zat met haar rug tegen de muur. Haar ellebogen rustten op haar knieën en ze verborg haar gezicht in haar handen. Haar haar viel naar voren en ze zat met gespreide benen. Ze droeg alleen een bloes en een slipje. Haar andere kleren – een ribbroek en een trui – lagen op een hoopje naast haar. Haar schouders trilden.

Ik ging op mijn knieën zitten en kroop naar haar toe. Ik kon mijn armen niet om haar heen leggen, maar ik legde mijn geketende handen tegen haar ene wang en mijn gezicht tegen de andere. Haar wangen waren nat.

Ik zei: 'Trek het je niet aan, meisje...'

Ze leunde tegen me aan, legde haar armen om mijn hals en snikte luid.

Ik liet haar huilen. Uiteindelijk zei ik: 'Waren ze... Hebben ze je pijn gedaan?'

Met gesmoorde stem zei ze: 'Nee, niet zo erg... Maar het

was, het is zo... zo vernederend!' Dat laatste kwam als een kreet en toen barstte ze echt in snikken uit.

Het huilen werd minder. Ze veegde met haar blote handen over haar gezicht. Toen verplaatste haar blik zich naar mijn ogen, ze keek me onderzoekend aan. 'Hoe... hoe gaat het met jou, Varg, je ziet er...' Ze zei verder niets, maar haar handen voelden voorzichtig aan mijn gezwollen lippen.

'Ooo', zuchtte ze.

'Alsof ik een paar keer door een tram ben overreden', zei ik.

Ze kleedde zich aan, met trage bewegingen.

We bleven een poosje stil zitten. Haar gezicht rustte tegen mijn schouder. Er kwam een gedachte in me op en ik zei: 'Heb je een... lippenstift?'

Ze keek me verbaasd aan. 'Vind je dat ik me moet opknappen?'

'Nee, maar ik zou die handboeien graag kwijt willen.'

32

'Ik mocht mijn tas weer meenemen', mompelde ze en tastte in het donker om zich heen. 'Hier...'

Ze had haar tasje in haar handen, de sluiting klikte. Met een vragende blik in haar ogen reikte ze me de lippenstift aan.

'Nee', zei ik. 'Jij. Kijk hier.' Ik stak mijn polsen naar haar toe. 'Hier moet je het smeren, alles, vlak boven het ijzer, over mijn knokkels. Dat maakt het gladder...' Mijn hoofd deed nog steeds pijn en mijn kaak leek van gebroken glas, maar door de inspanning werd mijn lichaam weer warm. Ik voelde de kou niet, vergat de pijn bijna.

Ze hield mijn handen voorzichtig vast en met langzame, bijna zinnelijke bewegingen smeerde ze de glimmende roze lippenstift over mijn polsen. Het bloed klopte in mijn aderen en mijn hart bonsde in mijn keel. 'Zo ja', hoorde ik mijn stem zeggen, trillend en gespannen. Ik durfde het nog niet te proberen.

'Hij is bijna op', zei ze. 'Hoe...'

De lippenstift was leeg. Ik boog me voorover en spuugde op mijn polsen, maar mijn mond was te droog. 'Spuug erop', zei ik.

Ze protesteerde niet. Ze spuugde.

'Wrijf het uit', commandeerde ik. 'Vermeng het met de lippenstift, wrijf het zo goed mogelijk door elkaar.'

Er hing een vreemde, zoute geur om haar heen. We lagen tegenover elkaar op onze knieën, alsof we een heel bijzonder liefdesritueel uitvoerden. Ik zag het speeksel en de lippenstift nu glimmen. 'Zo is 't genoeg', zei ik. Ik probeerde mijn ene hand te bevrijden, drukte mijn handen tegen elkaar, maakte ze zo smal mogelijk. Het was te krap. Ik kreunde van teleurstelling.

Elsa zat als een gier voorovergebogen, gespannen als een atleet in de startblokken, en volgde me met haar blik. 'Verdomme!' vloekte ik. 'Verdomme nog aan toe!' Het hielp niet.

Ik stond op. Ik bukte me en legde mijn handen op de grond, zette een voet op de ketting tussen mijn handen. Kromgebogen zette ik mijn hele lichaamsgewicht tegen de handboeien en trok uit alle macht. Mijn rechterhand leek iets te bewegen. Ik wrong mijn duim in mijn handpalm, trok nogmaals. Het leek of mijn hand werd doorgesneden. Het ijzer schaafde de huid eraf en ik had het gevoel of het uiteinde van mijn knokkels werd afgeschraapt. Met uiterste inspanning trok ik zo hard en krachtig als ik kon. Mijn hand gleed uit de boei, mijn arm zwaaide naar achteren, de handboeien sloegen tegen de vloer en ik verloor mijn evenwicht.

Ik bleef achterover op de vloer liggen, met de pijnlijke hand tegen mijn mond. Ik beet mijn tanden op elkaar van pijn, blies hard tegen de rug van mijn hand. Elsa lag voorover tussen mijn benen, met haar gezicht tegen mijn buik. 'Het is gelukt, het is gelukt! 'jubelde ze, alsof het reden was tot juichen.

We zaten nog net zo opgesloten als tevoren en dit was slechts de eerste en eenvoudigste stap in de goede richting. Er wachtten moeilijker stappen.

33

Ik hield haar hoofd tussen mijn handen. De handboei die los aan mijn pols hing rinkelde een beetje. 'Het kan lastig worden, Elsa. We hebben weinig kans. Maar het is onze enige kans. Als we het niet proberen, dan...'

Haar ogen waren groot in het donker. Ze zei rustig: 'Ik weet het. Als we het niet proberen, zijn we morgen allebei dood, morgen om deze tijd...'

Ik keek op mijn horloge. Het was bijna zes uur. Buiten was de nacht op zijn koudst. Ik omhelsde haar even. Toen liet ik haar los. Ik ging tegen de muur liggen, in de hoek die het verst van de deur was verwijderd. Ik kroop ineen, met mijn handen tegen mijn buik, met mijn vrije hand hield ik de boei vast, zodat ze niet zouden zien dat ik me had weten te bevrijden. Toen zei ik zacht: 'Oké. Begin maar.'

Ze liep naar de deur. Ik zag hoe ze haar vuisten balde en weer opende. Ze stond met gebogen hoofd voor de massieve houten deur. Een klein meisje dat thuis had aangebeld en een standje verwachtte.

Ze begon tegen de deur te slaan en te schoppen en riep: 'Hèèèlp! Hèèèlp! Hèèèèèlp!' Tussendoor luisterde ze, met ingehouden adem.

Ik had een knoop in mijn maag. Als ze allebei naar beneden kwamen, hadden we geen schijn van kans. Als er maar één kwam... dan misschien...

'Hèèèlp! Hèèèèlp!' Ze draaide zich wanhopig naar me om. 'Verdomme, Varg! Ze horen het niet.'

'Doorgaan', mompelde ik. 'Het is onze enige...'

'Dat weet ik!' viel ze me in de rede, heftig. Toen beheerste ze zich. 'O, sorry... ik...'

'Ik ben ook bang, Elsa', antwoordde ik zacht. 'Gewoon doorgaan.'

Ze ging door. 'Hèèèlp! Hèèèèlp!'

Er klonken zware voetstappen boven ons. Even later hoorden we iemand de trap naar de kelder afkomen.

'Help me!' kermde ze. 'Help me!'

De voetstappen stopten voor de deur en Kalles stem klonk nors door het houtwerk. 'Wat is dat verdomme voor een herrie? Hou je gedeisd, trut!'

Ze jammerde. 'Ik bloed...'

'Wat zeg je? Praat eens harder!'

'Ik bloed dood!' schreeuwde ze, met overslaande stem. 'Ik ga dood, ik ga dood, ik ga dood!'

'Goddomme', werd er gebromd. De grendel werd opzij geschoven. De deur ging open. Een zwak lichtschijnsel viel de kelder binnen, maar Kalle bleef buiten staan. Ik wist dat hij me kon zien. Ik bewoog even, probeerde overtuigend te kreunen: 'Haal haar hier uit, verdomme. Ze bloedt dood... Jullie...'

'Hou je bek!' beet hij me toe en kwam met zware passen de kelder in. De deur viel half achter hem dicht, zijn ogen waren niet gewend aan het donker. Hij tuurde om zich heen. 'Waar zit je verdomme?' vroeg hij. Toen schreeuwde hij het uit. Ze had hem in zijn kruis geschopt en nog raak ook. Ik zat op mijn knieën en stond toen in één ruk op. Elsa sprong opzij. Kalle stond voorovergebogen met zijn handen tegen zijn onderlichaam. Er was geen reden barmhartig te zijn. Ik hief de hand met de handboei op en gaf hem een klap tegen zijn achterhoofd, net achter zijn oor. Hij gromde zacht en sloeg toen als een os tegen de grond. Ik greep Elsa's hand en trok haar de kelder uit. We sloegen de deur dicht en schoven de grendel op zijn plaats.

We hoorden dat Jolle boven ons nieuwsgierig begon te worden. 'Daarheen... de buitendeur!' siste ik.

Ik zocht wanhopig om me heen naar iets dat als wapen kon dienen. Jolles zware voetstappen klonken boven in de kamer. In de kelder kwam Kalle weer op de been. Elsa rommelde aan het slot van de buitendeur. De sleutel stak erin, maar hij was verroest en zat vast. In een hoek lag een stapel brandhout. Naast de stapel stond een hakblok. 'Kalle!' brulde Jolle bovenaan de trap. Midden op het blok stond een bijl.

Jolle stampte de trap af, ik wierp me naar voren en pakte de bijl.

Elsa kreeg het slot los. De deur gleed open, luid piepend. Jolle bleef halverwege de trap staan. Hij keek ons ongelovig aan.

Ik hield de steel van de bijl met beide handen vast. De losse handboei bungelde omlaag. Ik stond half voorovergebogen, als een getergde gorilla, en ik moet een moordlustige indruk hebben gemaakt, want hij bleef daar staan... even.

'Rennen, Elsa. Ik kom achter je aan. De auto staat op de kruising. Een rode Kadett. De sleutels liggen op het linkervoorwiel. Maak open en steek de sleutel in het contact, als je...'

Jolle wilde niet langer wachten. Hij kwam voorzichtig de laatste traptreden af en bleef onder aan de trap staan.

'Rennen, verdomme!' brulde ik tegen Elsa. 'Rennen!'

Ze struikelde van het huis weg. De ochtendkou stroomde door de open deur naar binnen en deed mijn spieren verstijven, de haren in mijn nek gingen recht overeind staan.

Jolle kwam weer op me af. Hij zag er schrikbarend groot

uit – en ongelooflijk soepel voor zo'n grote kerel. Hij zei geen woord, hield me alleen nauwlettend in de gaten. Vanuit de kelder hoorden we Kalle. Hij beukte met zijn vuisten op de deur en brulde: 'Jolle! Jooooolle!'

Ik bleef voor de deur staan. Hij zou de kans niet krijgen de grendel weg te schuiven, nog niet.

Ik woog de bijl in mijn handen. Hij was niet erg zwaar en hij lag lekker in de hand. Een bijl kan een levensgevaarlijk wapen zijn en Jolle wist dat.

Plotseling bewoog hij, als een uit zijn krachten gegroeide stepdanser. Tegelijkertijd hief hij zijn handen op voor zijn borst: zware, gebalde vuisten. Bijna onmerkbaar begon hij door de lucht te maaien: lichte, verwarrende slagen, tegen een denkbeeldige tegenstander. Hij ademde zwaar. Zijn conditie was niet geweldig.

Ik spande mijn spieren, hield de bijl stevig vast. Ik hield mijn blik op hem gevestigd, zonder met mijn ogen te knipperen. Ik wist dat hij ieder moment kon aanvallen.

Toen explodeerde hij. Hij zette een keel op, waar een kudde nijlpaarden van op hol zou slaan, deed snel een paar passen naar voren en haalde uit met een vuist die mij, als hij raak was geweest, tot tartaar geslagen zou hebben. Maar ik dook er onderdoor. Ik stootte de bijl omhoog, met de brede kant naar boven. Ik trof hem met een zware slag tegen zijn kaak en hij tuimelde brullend van de pijn achterover. Hij gleed langs de muur en viel tegen de trap aan. Hij schudde zijn hoofd en stond op. Hij kwam met zwaaiende armen op me af, bloedend uit een mondhoek.

Ik pareerde zijn aanval nogmaals met de bijl. Als ik het blad van de bijl goed gebruikt had, had ik hem kunnen vermoorden, maar in plaats daarvan sloeg ik de brede kant van de bijl tegen zijn voorhoofd en zag ik zijn ogen in hun kassen draaien en de kleur uit zijn gezicht verdwijnen. Toen draaide ik de bijl snel om en stootte ik de steel in zijn buik. Hij sloeg dubbel en bleef op de vloer liggen.

Ik keek even naar hem. 'Jolle! Jolle!' brulde Kalle aan de andere kant van de deur.

Ik rende de deur uit. Buiten waren de rotsen spiegelglad van de nachtvorst en mijn benen gleden onder me weg. Met een klap ging ik onderuit.

Verderop hoorde ik de bijl met een metalen geluid tegen de rotsen slaan.

34

Ik kwam bij met een verschrikkelijke hoofdpijn. Hoog boven me zag ik de sterren verspreid tegen het zwarte firmament, als boze muggen op een zomeravond. Ergens achter me hoorde ik woedend gesteun en de zware geluiden van een krachtig mens dat opstond.

Toen wist ik weer waar ik was. Ik stond zo schielijk op dat de pijn door mijn hoofd joeg. Terwijl lichte vlekken voor mijn ogen dansten, schuifelde ik als een jichtige bejaarde vooruit. Achter me hoorde ik een vervaarlijk gebrul vanuit de deuropening.

Ik strompelde langs de steile helling omhoog, viel voorover en kroop op handen en voeten verder. De gladde rotsen om me heen glinsterden verraderlijk. Ik wierp een blik naar achteren. Jolle was buiten, maar Kalle zag ik niet.

Ik struikelde verder. Ik was nu boven op de heuvel en haalde adem in pijnlijke, heftige stoten. Toen ik weer achterom keek, zag ik dat Jolle de achtervolging had ingezet. Het geluk was gekeerd. In zijn handen hield hij hetzelfde wapen als ik had gebruikt. Het blad van de bijl glom mat.

Ik rende – of danste – zo snel ik kon over de kale rotsen. Ik was lichter dan hij en hij zou meer moeite moeten hebben om op de been te blijven. Toch leek hij me in te halen.

Ik was weer op het grindpad. Vlak voor me zag ik hun zwarte auto. Ik prees me gelukkig dat ik de banden had lek gestoken.

De man achter me haalde me steeds meer in. Maar het pad liep nu af. Ik won terrein.

Elsa zat in de auto. Het portier aan de bestuurderskant stond open. Ze boog zich over het stuur en wenkte me.

Ik hapte naar adem. Boven in het grind achter me hoorde ik zware voetstappen. Ik schoof achter het stuur, zocht een ogenblik naar de sleutel. Toen vond ik hem. Koppeling in, gaspedaal, een blik in de spiegel: daar kwam hij, groot en donker en catastrofaal, zwaaiend met het dodelijke wapen. De motor sloeg aan en de auto sprong naar voren. Het portier naast me sloeg dicht.

De wagen maakte een vreemde slinger. Hij gleed weg over het gladde wegdek, slipte opzij en dreigde even volledig rond te draaien. Toen kreeg ik het stuur zodanig gedraaid dat hij weer recht op de weg stond. Ik had de lichten niet aan gedaan en boog me voorover om de kant van de weg beter te kunnen zien. De banden kregen weer grip en we schoten vooruit. Ik schakelde, probeerde mijn benen onder controle te krijgen. Mijn ene knie leek op slot te zitten. De berm kwam steeds dichterbij. Toen kreeg ik mijn voet omhoog, we zwaaiden naar links, de berm streek voorbij. In de spiegel werd Jolle steeds kleiner, tot we de bocht om gingen en hij verdween.

Ik ontstak de koplampen en we slipten de hoofdweg op. Ik hield uiterst rechts en voelde hoe het gelijkmatige brommen van de motor een ritme van rust en welzijn door mijn beurse, gespannen lichaam zond. Het wegdek voor me werd onduidelijk en schitterde alsof het regende, maar het was geen regen. Ik moest de auto aan de kant zetten en klampte me vast aan het stuur, terwijl ik huilde en mijn lichaam trilde van de spanning. Elsa legde haar armen om me heen en fluisterde iets, zei iets. Een vrachtwagen denderde langs. Ik probeerde vergeefs iets terug te zeggen.

Ten slotte hield het huilen op en reden we verder, richting Stavanger. Achter ons had de hemel bijna onmerkbaar een nuance van blauwgrijs gekregen en de sterren vormden een groot en schitterend vuurwerk.

'Wat doen we nu?' vroeg Elsa.

Ik haalde mijn schouders op, maar stopte daar ogenblikkelijk mee. Het deed pijn.

35

Ik moest de auto weer aan de kant zetten. Ik voelde me zo ongeveer als een oude dame in een tearoom op het moment dat de laag poeder op haar gezicht barst: ze slaat haar hand in het stuk taart zodat de slagroom in het rond spat en schreeuwt tegen de kelner dat ze hem haat, haat, haat. Elsa legde voorzichtig een hand op mijn bovenarm en zei: 'Luister eens, ik weet een motel hier vlakbij. Ze... kennen me daar. Ik geloof dat we ergens moeten gaan slapen.'

Ik knikte. Ik had mijn werk gedaan. Ik was uitgeput.

'Laat mij maar rijden', zei ze en ik was blij het initiatief aan haar over te kunnen laten.

Om de slingerende handboei te verbergen, trok ik mijn arm uit mijn mouw en hield hem onder mijn jas, alsof hij gebroken was.

Ze haalde een kam uit haar tas. 'We ruilen van plaats', zei ze. Ik stapte uit en liep om de auto heen. Zij schoof naar de bestuurdersplaats. De lucht was helder en koud en in het oosten, aan de horizon, vertoonde de hemel kleine oranje scheurtjes. Toen ik ging zitten, had ze haar haar gekamd. Ze haalde de kam ook een paar keer door mijn haar. Toen kwam haar gezicht dichterbij en kuste ze me zacht op mijn lippen. 'Je hebt vannacht mijn leven gered, Varg. Ook al is het niet veel waard, toch... bedankt.'

Ik glimlachte mat. Ik was niet gewend complimentjes te

krijgen. Ik werd er verlegen van en ik kon haar maar met één arm omhelzen. Ik streelde haar voorzichtig over haar schouder.

Zij lachte ook: een stralende glimlach. Ze had niet veel make-up meer op haar gezicht. Ze leek op een meisje dat ik ooit graag gekend zou hebben.

Toen reden we verder.

Wat ze een motel had genoemd, was een tamelijk nieuw hotel direct aan de hoofdweg. Grijze betonnen laagbouw met een geraffineerd lichtslot bij de ingang, dat de deur voor ons opende en met een lang en onheilspellend 'píííiép-píííiép!' waarschuwde dat we binnenkwamen. Het gezicht van de man in de receptie was ochtendbleek en grauw en hij keek bijna niet naar ons op. Hij herkende Elsa en trakteerde me op een gemelijke blik. We kregen een kamer in de westelijke vleugel toegewezen en Elsa kreeg een plastic kaartje in plaats van een sleutel. Bij de deur van de kamer stak ze het langwerpige kaartje in een gleuf en draaide de deurknop om. Ik bekeek het kaartje beter. Er zat een eenvoudig gaatjespatroon in. Ik had het stadium bereikt waarin ik me voor details begon te interesseren in plaats van voor de grote lijnen. Naast me was Elsa bezig zich uit te kleden.

Ze hield haar ondergoed aan en hielp mij uit mijn kleren. Ten slotte droeg ik alleen nog de handboei. 'Zo slapen we beter', zei ze zacht. 'Naakt.' Ze liet haar laatste kledingstukken vallen. Buiten werd het langzaam licht. Ik geloof dat ik sliep voor ik in bed lag. Ik kan me tenminste niet herinneren dat ik ging liggen.

Ver, ver weg hoorde ik een zangerig, gonzend geluid. Ik droomde dat ik midden op een vliegveld stond, midden op de landingsbaan, terwijl een gigantisch vliegtuig de landing inzette. Ik opende mijn ogen en begreep dat het gonzen dat ik hoorde van het verkeer op de hoofdweg was.

Ik draaide mijn hoofd langzaam naar het raam. Het kraakte vervaarlijk in mijn nek. Buiten was het daglicht helder en wit, de hemel bleek en blauw.

Ik lag op mijn rug. Elsa had zich in mijn armholte genesteld. Haar haar kriebelde in mijn gezicht.

Haar lichaam lag zacht en warm en zwaar tegen het mijne. Ze kermde zachtjes, nog half in slaap, zonder haar ogen te openen. Haar gezicht was nu volkomen open, bijna als herboren.

Ik bewoog me, voorzichtig. Mijn ene arm sliep, de andere deed pijn. Ineens sloeg ze haar ogen op en schrok. Haar ogen verwijdden zich en haar pupillen werden groot en zwart. Daarna werden ze kleiner en zag ik dat ze me herkende, zich herinnerde waar ze was. Haar hoofd viel terug en ze bleef met haar gezicht tegen mijn borst liggen.

Binnen in me was het volkomen stil, als in een hooiberg waar nog niemand naar de speld zocht.

'Hoe laat is het?' vroeg ze.

Ik keek op mijn horloge. 'Kwart over twee. Ik snap niet dat ze ons niet gewekt hebben.'

'Ik heb voor twee nachten betaald,' zei ze, 'we kunnen hier vandaag en vannacht nog blijven.'

Plotseling ging ik rechtop in bed zitten. 'Maar we moeten...'

'Nee!' Ze pakte me vast. 'Ga liggen, ontspan je, je hebt rust nodig...'

Het was verleidelijk om me terug te laten zakken in de lakens, samen met haar de warmte te vinden, te vergeten. Maar er waren mensen omgekomen... bij een koelkast, onderaan een trap, in de haven... Misschien nog wel meer. Misschien ook... Arne Samuelsen.

Met sterke armen trok ze me terug in het bed, spreidde haar vingers over mijn huid, boorde haar gezicht in de kuil tussen mijn ribben. 'Varg...'

'Luister, Elsa, ik...'

Ik greep haar schouders vast, duwde haar opzij, steunde op mijn elleboog en boog me over haar heen. Ik keek haar aan, recht in haar ogen. 'Luister. Wat er gebeurd is... eergisteren... Het klinkt vast belachelijk, nu achteraf... maar, het heeft met een soort trouw te maken...'

Ze keek me ernstig aan. 'Dat is niet belachelijk, Varg.' Ze streelde met de palm van haar hand over mijn gezicht, draalde een ogenblik bij mijn kin en liet haar hand weer op het kussen vallen.

Ik probeerde de juiste woorden te vinden. 'Niet per se de trouw aan haar. Maar aan iets in mijn hart.'

'Ik begrijp het.' Ze glimlachte flets.

Ik ging weer naast haar liggen. De beelden van de gebeurtenissen van de vorige dag en de afgelopen nacht begonnen voor mijn ogen te dansen. 'Maar... Wat wilden ze eigenlijk van *jou*, Elsa? Je was niet bedoeld als lokaas, want jij bent degene die nog geprobeerd heeft Sirevåg op de spiegel te schrijven, nietwaar?'

'Ja. Ik hoorde ze erover praten. Maar ik dacht niet dat iemand het zou snappen. Ze hielden me tegen voordat ik het helemaal had kunnen opschrijven.'

'Ze konden dus niet weten dat ik je daar zou zoeken. Ze hadden het dus op *jou* begrepen.'

Ze knikte, met opeengeperste lippen. 'Ze hadden het over...'

'De banden?'

Ze knikte weer. 'Ja, wat zou het anders moeten zijn? Ze zeiden... ze zeiden dat de baas wilde weten waar ik de opnames had verstopt. Dat ze mijn gezicht kapot zouden maken en mijn armen breken als ik er niet mee voor de dag kwam en dat ze ervoor zouden zorgen dat ik nooit meer zou kunnen...' Ze hield een kleine gebalde vuist voor haar lippen. 'O, God, Varg... als ik het geweten had!'

'De baas?' Ik ging weer rechtop zitten. 'Zeiden ze alleen... de baas?'

'Ja.'

'Geen naam?'

'Nee, maar je weet van wie het vakantiehuis is.'

'Ole Johnny', zei ik kwaad.

'Ole Johnny', herhaalde ze honend.

Toen drong de waarheid tot me door en ik voelde een ijzige hand om mijn hart. 'Maar... maar, betekent dat... dat je met Ole Johnny, dat jullie...'

Ze keek me treurig aan. 'Zo zie je maar, Varg. Ik ben toch niet zo fatsoenlijk. Je zou nooit van me kunnen houden, is het wel?'

'Maar ik...'

'Zo gaat het nu eenmaal... in deze branche. Hij betaalde goed. Het geld was welkom en hij was een uitermate boeiend interviewobject.'

'Dat kan ik me voorstellen.' Mijn lichaam was gevoelloos. Mijn huid prikte. Ik zwaaide mijn benen uit het bed en bleef op de rand zitten. Ik wreef met mijn handen in mijn ogen, hard.

Toen stond ik op. Ik draaide me om naar het bed. Ze had het dekbed tot haar schouders opgetrokken en keek me met een angstige uitdrukking in haar ogen aan. De handboei bungelde obsceen aan mijn pols. 'Dus dan moeten we Ole Johnny een bezoekje brengen', zei ik somber.

'Een... een visite?' Haar angst werd nu duidelijk zichtbaar. 'Wat bedoel je? Bij...'

'Weet jij hoe we binnen kunnen komen?'

'Ben je niet goed wijs? Wat wil je eigenlijk bereiken... na alles wat er gebeurd is?'

'Ik heb geen idee, echt niet, maar wat we nodig hebben, is... bewijs, iets concreets. Er zijn de afgelopen week min-

stens drie mensen vermoord, Elsa, en het waren er bijna...
nog twee geweest.'

'En nu wil jij je hoofd op het hakblok leggen?'

Ik maakte een wanhopig gebaar. 'Daar word ik voor betaald. Af en toe. Dat is mijn werk. Dat is mijn branche. Ook niet erg vrolijk.'

'Hij heeft me een baan aangeboden', zei ze laconiek. 'Op de tweede verdieping.'

'Bedoel je... boven het casino?'

Ze knikte.

'We kunnen het via de binnenplaats proberen... Is er een brandtrap?'

'Geen idee. Ik ben er nooit geweest.'

'Het is onze enige kans, Elsa.'

Ze ging rechtop in bed zitten. Haar stevige borsten bolden zacht in het daglicht. 'Ik ga mee!'

'Om de dooie dood niet... Echt, Elsa, daar kan ik je niet aan blootstellen.'

Ze sloeg het dekbed van zich af en stond op, klein en driftig, prachtig en naakt. 'Ik ken een meisje dat daar werkt, Varg! Misschien helpt dat. Zo kunnen we op de tweede verdieping komen en vandaaruit naar beneden. Ik... óf ik ga mee, óf ik ga naar de politie.'

Ik moest lachen. De situatie was nog wel komisch ook. Een naakte vrouw en een naakte man. Zij klein en driftig, hij met een absurde handboei bungelend aan zijn pols. En als iemand had gehoord waar we over spraken...

Ik zei: 'Zeg eens, waar heb je die banden?'

'Dat moet je niet vragen. Hoe minder je weet...'

'Ze kunnen belangrijk bewijsmateriaal bevatten, aangezien hij ze ineens wil hebben. Wat heeft hij je verteld?'

Ze haalde haar schouders op en kreeg een afwezige blik in haar ogen. 'Ik weet het niet meer... over zijn zaak. Nogal gedetailleerd, het leek wel een accountantsverslag, of hoe dat ook mag heten. En verder over zijn seksleven, natuurlijk. Maar dat doen ze allemaal.'

'Nou ja... ze *zijn* veilig opgeborgen, mag ik hopen?'

'Heel zeker. Je denkt toch niet dat ik dit allemaal zomaar heb gedaan? Die doctoraalscriptie komt er, ooit.' De blik waarmee ze langs haar lichaam omlaag keek, verried afschuw. Toen keek ze op met een glimp humor in haar ogen. 'Jij komt er ook in, Varg...'

'Als wat dan? Als pantoffelheld?'

'Als *mijn* held', antwoordde ze.

'Noem me maar in een voetnoot', zei ik.

We kleedden ons aan.

Ze zei: 'Weet je, dit is de eerste keer dat ik een hotelkamer verlaat zonder te hebben... sinds heel veel jaren.' Ze lachte, luid en bevrijdend. 'Het is eigenlijk wel een lekker gevoel.' Toen kwam ze naar me toe, legde haar armen om mijn hals, drukte haar lichaam tegen het mijne. 'Eerst eten, nietwaar?'

Ik knikte in haar haar. 'We moeten in ieder geval wachten tot het helemaal donker is.'

Automatisch keek ik naar het raam. De avond was bezig zijn gordijnen te laten zakken. De schemering vervaagde de contouren. We hadden een dag overgeslagen.

36

De straat lag in het donker. Rond de ingang van de automatenhal flikkerden de gekleurde neonbuizen. Achter de hoge, gebogen ramen van het witgeschilderde gebedshuis ernaast brandde licht en op straat was een ritmische melodie en pakkend gezang hoorbaar. Een merkwaardig contrast, alsof de hemel en de hel naast elkaar lagen en er maar een kleine vergissing nodig was om de verkeerde deur door te gaan.

We waren het gebouw door de donkerste zijstraatjes genaderd en sloegen het vanaf een hoek argwanend gade. Ik hield Elsa beschermend tegen met mijn arm. 'Er brandt licht op de tweede verdieping', fluisterde ze.

Ik knikte. Er brandde ook licht op de eerste, achter neergelaten rolgordijnen. 'Nu gaat het erom hoe we binnenkomen.'

'Daarginds.' Ze wees.

Naast het gebedshuis was een grote, witgeschilderde poort naar de binnenplaats. Als we daar doorheen konden...

Ik zei: 'Ik ga eerst. Als alles goed gaat, kom je achter me aan. Oké?'

'Mm.' Ze knikte. 'Wees voorzichtig.'

Ik gaf haar snel een kneepje in haar arm, wierp een onderzoekende blik om me heen en stak de straat over. De straatstenen glinsterden. Verderop in de straat stonden drie, vier auto's geparkeerd. In een portiek was een jong stel in een innige omhelzing gewikkeld, ze hadden alleen oog voor elkaar. Het gezang klonk luider. Ik hield het pand van Ole Johnny scherp in de gaten, maar zag niemand. In de automatenhal ratelde een apparaat, als een machinegeweer.

Ik was nu bij de poort. Ik drukte de metalen klink omlaag en met een licht schrapend geluid gleed de deur open. Ik keek snel achterom. Niets te zien. Ik ging naar binnen.

Ik keek om me heen. Een hoge schutting aan de linkerkant scheidde de twee binnenplaatsen van elkaar. De schutting was oud en grauw en aan de bovenkant versierd met roestig prikkeldraad. In een hoek van de binnenplaats stond een vuilnisbak. Iets kleins en grijs schoot weg langs de schutting en verdween in het donker.

Ik ging terug en opende de deur op een kier. Elsa was al halverwege de straat. Ik deed de deur verder open en trok haar naar binnen. We bleven dicht tegen elkaar aan staan luisteren. Het gezang was afgelopen. Nu sprak er iemand. 'Halleluja!' klonk het zwak door de muren. 'HALLELUJA!' antwoordde een koor van stemmen.

We liepen verder de binnenplaats op. Het prikkeldraad op de schutting leek niet erg stevig vastgezet. Het zou niet moeilijk zijn er een stuk van los te trekken.

Ik schoof de vuilnisbak naar de schutting en klom er voorzichtig op. De schutting was ongeveer twee meter hoog en aan de andere kant kon ik nu de binnenplaats van het pand van Ole Johnny zien. Langs de achtergevel zigzagde een brandtrap omhoog, met op iedere etage een soort balkonnetje. Het zag er veelbelovend uit.

Ik haalde een etuitje uit mijn binnenzak en bevestigde een schroevendraaier in het erbij behorende plastic handvat. Door de schroevendraaier onder de spijkertjes te steken waarmee het prikkeldraad was vastgezet, slaagde ik erin het over een lengte van anderhalve meter los te maken. Toen dat gebeurd was, sprong ik voorzichtig van de bak af.

Ik pakte Elsa bij haar schouders. De ketting van mijn handboei rinkelde. Ik had geprobeerd hem onder mijn mouw te
stoppen, zodat hij niet in de weg zou zitten. 'Wil je niet liever
hier wachten? Het kan ge...'

'Ik ga mee.'

'Maar waarom?'

'Waarom niet?'

'Het kan gevaa...'

'Als het voor mij gevaarlijk is, dan is het ook gevaarlijk voor
jou, en dan kunnen we maar beter met zijn tweeën zijn. We
moeten bij elkaar blijven, Varg!' Ze keek me indringend aan,
met donkere ogen. Het had geen zin verder te discussiëren.
Ze was zo koppig als een ezel.

'Oké. Ik ga eerst.' Ik wachtte om te horen of ze zou protesteren, maar dat deed ze niet. Toen klom ik weer op de
vuilnisbak, greep de schutting vast – en zwaaide mezelf
eroverheen. Aan de andere kant liet ik me behoedzaam naar
beneden zakken. Er gebeurde niets.

Elsa kwam achter me aan. Ze bewoog snel, de nauwe ribbroek leek haar niet te hinderen.

Samen liepen we op het gebouw af. We gingen met een
boog om een verlicht raam heen, maar de gordijnen waren
stevig dichtgetrokken en niemand kon naar buiten kijken.

We grepen de leuning van de brandtrap vast en klommen
voorzichtig omhoog. We roken de koude geur van roestig
metaal en het ijzerwerk kraakte hol toen we ons naar boven
begaven. We liepen langzaam, trede voor trede, en ik lette
erop om bij iedere stap diep in te ademen.

We passeerden de begane grond zonder hindernissen en
gingen verder naar boven. Ik fluisterde: 'We moeten dus
proberen op de tweede verdieping naar binnen te gaan?'

Ze knikte.

Op iedere etage was een balkonnetje voor een keukendeur en voor de ramen aan weerszijden van die deur. Op de eerste verdieping kwamen we langs een raam met dikke, rode gordijnen van een soort die ik eerder had gezien. Het zou Ole Johnny's kantoor kunnen zijn.

Ik liep naar het raam. Binnen hoorden we stemmen. Ik bekeek het raam beter. Het was vanbinnen afgesloten, maar de gordijnen waren iets te haastig dichtgetrokken. In het midden was een spleetje, een smalle streep licht die naar buiten viel. De stemmen binnen klonken hard en boos. Elsa zei angstig: 'Varg, ik ben ineens... zo bang.'

Ik gaf geen antwoord. Ik legde mijn gezicht tegen de ruit, bij de smalle opening in het gordijn. Het was Ole Johnny's kantoor.

Ik kon niet de hele kamer zien, maar wat ik zag was genoeg. Binnen waren vijf mannen. Voor het bureau, als twee ondeugende leerlingen die bij de rector op het matje waren geroepen, stonden onze twee bekenden uit Sirevåg. Jolle had een grote blauwe plek op zijn voorhoofd en zijn kaak was opgezwollen en paars. Kalle zag bleek. Naar zijn gezichtsuitdrukking te oordelen kregen ze net een fikse uitbrander.

Achter het bureau, met zijn stoel naar links gedraaid, zat Ole Johnny zonder een woord te zeggen. Naast hem stond Nils Vevang.

De vijfde man in de kamer voerde het woord, met rode vlekken in zijn nek en met heftige, driftige schouderbewegingen. Hij stond met zijn rug naar het raam en hij had zijn cowboyhoed niet op. Maar dat was ook niet nodig. Ik herkende hem toch. Het was Carl B. Jonsson.

37

Ik wenkte Elsa naar het raam. In de duisternis waren haar gelaatstrekken zacht en de angst maakte haar jonger, kwetsbaarder. Ik knikte naar de opening in het gordijn en aarzelend legde ze haar gezicht tegen de ruit.

Er ging een schok door haar heen, ze stak een hand uit, alsof ze zich ergens aan wilde vastpakken. Ik greep hem en drukte hem voorzichtig. Ze trok zich terug van het raam. 'Maar dat is...'

'Dat zijn onze vrienden, ja. En Ole Johnny. En...'

'Carl Jonsson', vulde ze aan.

Ik nam haar gezicht aandachtig op.

'Ken je hem?'

Ze fluisterde: 'Ik kan je op een briefje geven dat hij de man is achter alles wat hier gebeurt. Ole Johnny heeft het kaliber niet voor dit soort projecten. Hij is maar een stroman.'

'En wiens positie is strategisch gunstiger dan die van de veiligheidschef van een oliemaatschappij? Hij kan Ole Johnny precies vertellen wie er geld heeft... en wie hij bij de deur moet afwijzen.'

'Hij heeft me verteld dat hij hoge inkomsten heeft, maar nooit waaruit. En hij was altijd zeer royaal.'

Ik hoorde de matheid in mijn eigen stem. 'Betekent dat... dat hij ook...'

Ze drukte mijn bovenarm even en knikte. 'Hij heeft me eens een wonderlijk verhaal verteld', zei ze snel.

Ik draaide me om en legde mijn gezicht weer tegen de ruit. Nu was Ole Johnny aan het woord. Jonsson stond nog steeds met zijn rug naar het raam. Zijn krachtige armen hingen slap langs zijn lichaam en hij knipte nerveus met zijn vingers. Zonder opzij te kijken zei ik: 'Waarover?'

'Hij... het was in de Verenigde Staten. Hij had een liftster meegenomen, een van de mooiste vrouwen die hij ooit had gezien, zei hij. En het was verbazingwekkend eenvoudig geweest om het met haar aan te leggen. Al binnen een half-uur kon hij een zijweg inrijden, zijn auto parkeren en met haar aan de gang gaan. Het waren de heerlijkste kussen die hij...'

'Wacht!' zei ik ineens.

Jonsson was Ole Johnny met een heftig armgebaar in de rede gevallen. Hij liep door de kamer naar Kalle en Jolle. Vlak voor hen draaide hij zich om, gebaarde met een hand voor hun gezichten en schreeuwde tegen Ole Johnny. Zijn gezicht was rood van opwinding. Het zilver in zijn haar en het goud in zijn mond glinsterden. Met een woeste blik keek hij langs Ole Johnny naar het raam. Ik trok me instinctief terug.

Toen ik mijn gezicht weer voor de spleet hield, was hij op weg naar het raam. Ik hoorde wat hij zei, net zo duidelijk alsof ik zelf in de kamer stond. 'Kijk nou eens naar buiten! Deze stad is van ons, Ole Johnny!' Zijn grote vuisten trokken de gordijnen opzij om Ole Johnny de stad te tonen die van hen was. We staarden elkaar recht in de ogen.

38

Ik geloof dat hij een ogenblik lang zijn eigen spiegelbeeld dacht te zien. Toen liep zijn gezicht paars aan en ging zijn mond open. Hij zag eruit alsof hij van plan was zo door het venster heen te stappen.

Ik wachtte niet af om te horen wat hij te zeggen had. Ik duwde Elsa ruw naar de trap en we stormden naar beneden.

De metalen treden zongen onder onze voeten en Elsa jammerde toen ze haar heup tegen de leuning stootte. Toen we beneden waren hoorden we boven ons een deur open-slaan en vervolgens stampende voeten op het balkon. We hadden de hoge schutting alweer bereikt. Ik greep Elsa bij haar benen en slingerde haar er ongeveer overheen, terwijl ik tegelijkertijd een blik op het huis achter ons wierp. Alleen Jonsson en Kalle kwamen de trap af. Dat betekende dat de anderen waarschijnlijk de straat op gingen om ons daar de pas af te snijden. Ik sprong omhoog en greep met beide han-den de rand van de schutting vast, hees me op, slingerde er een been overheen en wierp me erover. Ik kwam hard en scheef terecht en Elsa greep me bij mijn armen om me te helpen opstaan. De handboei was weer losgeraakt en bun-gelde aan mijn pols.

Een hoge, schelle stem schalde ons vanuit het gebedshuis toe. Er tuimelde iemand tegen de andere kant van de schut-ting en buiten op straat hoorde ik rennende voetstappen. Ik wees naar een achterdeur en siste: 'Daar in!'

We waren binnen voor we tijd hadden om verder na te denken. De stem was hier duidelijker te horen. We bevonden ons achter in een gang en liepen verder naar binnen. Het was er aardedonker en onmogelijk ook maar iets te onderscheiden. We liepen tegen een muur aan en ik zocht met mijn handen naar een deur. Ik vond de klink, drukte hem omlaag, duwde Elsa voor me uit naar binnen. Het licht stroomde ons tegemoet en we bleven met knipperende ogen staan.

We waren in de gebedszaal zelf terechtgekomen. De zaal was bijna helemaal vol en rijen verschrikte gezichten staarden ons aan: oude en jonge gezichten, vrouwen en mannen. We waren binnengekomen aan de zijkant van een podium, waarop de predikant stond, achter een spreekgestoelte. De man was begin veertig, had een mager gezicht, donker achterovergekamd haar en vlammende ogen. Hij staarde ons aan, maar liet zich niet van de wijs brengen. Zijn stem klonk krachtig en muzikaal toen hij zei: 'Wees welkom, zuster, broeder! In het huis van de Heer is voor iedereen plaats. Op de eerste rij is nog ruimte.'

'Halleluja! Halleluja!' klonk het her en der vanuit de zaal. We struikelden verder en willigden automatisch zijn verzoek in. We waren hier tenminste tussen mensen, in het licht. We gingen hijgend zitten. Een stevige vrouw twee stoelen verderop glimlachte vriendelijk en knikte me geruststellend toe.

De predikant ging verder waar wij hem hadden onderbroken. 'Nee, wij herkennen Stavanger niet meer, broeders en zusters! Is het niet? Hoeren en pooiers, geldwolven en wellustelingen! Wij leven in het Sodom en Gomorra van onze tijd, in de verwarring van de laatste dagen. De Heer roept zijn kudde en iedereen is welkom, maar de weg is vol verleidingen. En wie heeft de macht in het land, in de stad?

Wie aanbidden wij? Wie wentelt zich daarbuiten op zee in zwarte, vette olie, valser dan Leviathan? Het is de Mammon, broeders en zusters! De Mammon, die zijn gulzige klauwen spreidt, die zijn giftige adem over de stad blaast, die duizenden mensen in een gewelddadige dood stort. En wij zullen pas vrede krijgen, broeders en zusters, wij zullen pas vrede krijgen, als de laatste druppel olie uit de zeebodem is opgepompt...' Hij pauzeerde veelbetekenend en zei toen met een zachte, bijna fluisterende stem: 'Of als de Here Jezus zelf weer in ons midden is.'

'Halleluja!' klonk het rondom ons. 'Halleluja!'

Toen ging met een knal de achterdeur open en Kalle en Jonsson tuimelden naar binnen, net zo verblind als wij waren geweest. Kalle stampte als een monster van Frankenstein naar voren en Jonsson had een lelijk, zwart ding in zijn rechterhand, waar hij mee door de lucht zwaaide. Het was een revolver. 'Veum!' brulde hij. 'Nu heb ik jullie!'

De predikant stond als verlamd achter zijn spreekgestoelte. Ik trok Elsa van de bank en we holden door het middenpad naar de uitgang.

'Veum!' brulde Jonsson achter ons. Toen kwamen ze stampend achter ons aan. Ik hoorde de stem van de predikant: 'Broeders! Zusters! Hebt erbarmen...'

Meer hoorde ik niet. Door een gang bereikten we de hoofduitgang. We deden de deur open en stapten de straat op.

Ole Johnny en Jolle kwamen ons tegemoet. We renden de andere kant op, naar de dichtstbijzijnde hoek. Ook daar doken een paar krachtige schaduwen op. We veranderden van richting, renden naar een ander huis. Maar het was een doodlopende straat. Elsa jammerde luid.

Jonsson was nu ook buiten gekomen. Zijn stem galmde door de smalle straat. 'Blijf staan, Veum! Blijf staan... of ik schiet!'

De woorden weerkaatsten tegen de muren om ons heen: *ik schiet, ik schiet!*

We konden geen kant meer op. Elsa struikelde en bleef op straat zitten. Ik draaide me langzaam om en wachtte. Mijn ademhaling scheurde door mijn longen en mijn maag was zwaar van angst.

Carl B. Jonsson knielde op de straatstenen. Hij hield met beide handen de greep van de revolver vast. De revolver was recht op mij gericht, ongeveer op borsthoogte. Naast Jonsson dook Vevang op en bleef daar staan.

Jonsson stond langzaam weer op, zonder zijn revolver te laten zakken. Zijn gezicht was grimmig en vastbesloten.

Vevang mompelde iets naar hem. Achter me hoorde ik dat Elsa weer was opgestaan. Haar voetstappen kwamen dichterbij.

Ik wierp een snelle blik achterom. Ze wankelde naar voren, maar keek mij niet aan. Ze keek met starre blik langs me heen, naar Jonsson. Maar ze sprak tegen mij: 'Varg...'

Jonsson onderbrak haar met galmende stem: 'Luister niet naar haar, Veum! Je snapt toch wel dat ik je gered heb?'

Ik keek hem aan, zonder te begrijpen wat hij zei.

Jonsson ging verder: 'Waarvoor denk je verdomme dat ze die geluidsbanden heeft gebruikt? Die gore slet. Ze dacht mij met dat amateuristische gedoe voor de gek te kunnen houden. Ik, die thuis in de States met de nieuwste elektronische apparatuur heb gewerkt! Wij kunnen mensen aan de andere kant van de wereld afluisteren en daar komt zij aan met wat verouderde CIA-apparaten uit het eind van de jaren vijftig. Flauwekul, Veum! Allemaal flauwekul... net als zijzelf.'

Ik draaide me half naar Elsa om. Ik ontmoette haar zwarte blik, haar grote ogen.

'Vraag haar wat ze met het geld heeft gedaan, Veum!' brulde Jonsson.

Haar haar zat in de war en ze had een schram aan de rechterkant van haar voorhoofd. Haar gezicht was mager en ingevallen in het felle lichtschijnsel van het gebedshuis. Plotseling voelde ik dat het koud was, steenkoud. De sterren hadden het hemeltapijt boven ons doorboord en door de gaten sijpelde de kou van het universum, de kou van de oneindigheid.

Ze tilde haar smalle hand naar me op, tegen mijn mond, en zei: 'Luister niet naar hem, Varg. Het is niet waar...'

We keken elkaar enkele lange, eeuwigdurende ogenblikken aan. Ik zag haar ogen, haar mond, haar tengere lichaam in de dunne kleren. Toen glimlachte ik vriendelijk en zei: 'Ik weet het, Elsa. Ik geloof hem niet. Want ik weet iets, waarvan hij niet weet dat ik het weet.'

We hoorden de auto's voor we ze zagen. Ze kwamen door de zijstraten aangescheurd. Een patrouillewagen gierde de hoek om en ontstak zijn zoeklichten. Jonsson stond in het lichtschijnsel, in een messcherp silhouet. Verward draaide hij zich om. Er sprong iemand uit de auto, een wapen en een helm blonken. Via een luidspreker sprak Bertelsens stem, droog en autoritair tegelijk: 'Laat dat wapen vallen! Wij zijn gewapend!'

Jonsson stond gespannen als een veer. Toen liet hij zijn armen zakken en richtte hij zich helemaal op. Met een ruk van zijn schouder gooide hij de revolver weg, die met een hol geluid op de donkere straatstenen landde. Hij draaide zich langzaam om naar het licht, als een Hollywoodster die de ovatie van het publiek in ontvangst neemt, voor een galapremière. Maar dit was geen première. Dit was de laatste voorstelling.

Toen vormden we plotseling een groep: Jonsson, Vevang, Elsa, Ole Johnny, Kalle, Jolle en ik – omgeven door politiemensen in overalls en uniformen, sommigen bewapend, anderen met rinkelende handboeien.

Bertelsen kwam erbij. Hij keek me met slecht verholen irritatie in zijn blik aan. 'Wat heeft dit circus te betekenen, Veum?'

Ik haalde een paar keer diep adem voor ik antwoordde: 'Dit betekent... dat ik nu weet wie de vrouw in de koelkast is.'

'O ja? En Arne Samuelsen... weet je misschien ook waar die is?'

'Ja.'

'Waar dan?'

Ik keek hem aan. Toen liet ik mijn blik over de andere gezichten om me heen glijden. Het was niet moeilijk te zien wie van hen het antwoord wist. Uiteindelijk zei ik: 'Hij is de vrouw in de koelkast.'

39

We zaten in Bertelsens kantoor – Elsa, ik, Bertelsen zelf, Iversen en Lauritzen. Aan de overkant van de straat lag de staatsdrankwinkel, donker en gesloten, terwijl de rode kerk in de schijnwerpers baadde.

Elsa had zich opgeknapt, maar haar gezicht was erg mager. Haar mond was strak, haar ogen donker.

Bertelsen staarde me gelaten aan. 'Dus met andere woorden... Maar wie kon dat weten?'

Ik zei: 'Nee, precies... Wie kon weten dat de vrouw in de koelkast een man was. Of omgekeerd, dat de man in... Je begrijpt wat ik bedoel.'

'En hoe ben jij daar dan achter gekomen?'

'Eigenlijk bij toeval. Ik heb het bevolkingsregister in Bergen gebeld om de informatie die ik over Arne Samuelsens familie had te checken. Toen hoorde ik dat zijn zus helemaal niet dood is. En dat er in die familie helemaal geen Arne Samuelsen is.'

'En je had *vergeten* dat aan ons te vertellen.'

'Ik had geen bewijzen... en ik moest Elsa zoeken.'

'Zoiets stoms heb ik nog nooit gehoord, Veum. En het had jullie allebei het leven kunnen kosten.'

Ik haalde mijn schouders op, maar keek Elsa verlegen aan. Om het over iets anders te hebben, vroeg ik snel: 'Maar die andere vrouw... Irene Jansen... heeft zij jullie niets kunnen vertellen?'

Hij keek gelaten naar het plafond. 'Zo goed als niets. Als ik mijn eigen eerlijke mening mag geven, Veum, dan beschouw ik alle personen die bij deze affaire betrokken zijn, als imbeciele idioten... en dat geldt ook voor jou. Nee, ze is alleen meegegaan omdat ze dacht iets te kunnen verdienen. Nee, ze had de anderen nooit eerder gezien, had zelfs geen idee hoe ze heetten. Ja, die drie kerels, hij die daar woonde en nog twee, zijn naar de keuken gegaan. Een van hen is teruggekomen en heeft haar gevraagd te vertrekken. Ze heeft een paar honderdjes gekregen. Nee, ze heeft geen geluid uit de keuken gehoord, de andere twee maakten nogal veel lawaai.'

'Welke andere twee?'

'Laura Losjes en Smile Hermannsen... volgens de beschrijving.'

'Zo, zo...' zei ik.

'En vergeet één ding niet, Veum: we hebben nog geen bekentenissen. Ze hebben überhaupt nog niets bekend! En ik begrijp nog steeds niet waarom ze...'

'Laten we eerst met Vevang gaan praten', zei ik.

'We?'

'Volgens mij heb ik het overzicht.'

'En waarom Vevang?'

'Omdat hij de zwakste schakel is. Jonsson lijkt een taaie. Maar als we eenmaal weten hoe we hem moeten aanpakken, dan... En wat betreft het *waarom*...'

'Ja?' snauwde hij.

Ik wendde me tot Elsa. 'Je hebt je verhaal over Jonsson nog niet afgemaakt. Zou je...'

'Bedoel je...' Ze keek me vragend aan.

Ik knikte.

Ze keek Bertelsen aan terwijl ze vertelde: 'Het was in de Verenigde Staten. Hij... Jonsson had een vrouwelijke lifter opgepikt, de mooiste vrouw die hij ooit had gezien, om zijn eigen woorden te gebruiken... en ze bleek ook zeer meegaand te zijn. Ze reden een zijweg in en begonnen te... nou, kussen en liefkozen en... maar toen hij... toen hij haar goed bevoelde... toen bleek dat ze... dat ze geen vrouw was. Het was een man.'

Bertelsen gaapte haar aan. 'Bedoel je dat...'

'Hij heeft me ook verteld dat hij haar... hem... daarna in elkaar heeft geslagen en dat hij na dat voorval misselijk werd zodra hij een... als hij ook maar lucht kreeg van een... travestiet.'

Bertelsen keek mij weer aan en zei: 'Dus *dat* zou de reden moeten zijn?'

Ik hief mijn handen ten hemel. 'Sodom en Gomorra. Zullen we naar beneden gaan en met hem praten... met Vevang?'

Hij staarde me met dichtgeknepen mond aan. Toen stond hij op en zei kortaf: 'Ja. Kom.'

Elsa zei zwakjes: 'Ik wacht hier, Varg.'

Ik wilde zeggen: Dat hoeft niet. Ik zei alleen: 'Goed.'

Vevang zat voorovergebogen op zijn brits. Hij keek op toen we binnenkwamen en het geluid van de sleutel in het slot achter ons deed zichtbaar pijn aan zijn oren. Zijn gezicht vertrok. Het dunne haar hing nu in slierten langs zijn hoofd, zijn schedel was zichtbaar. De spanning was van zijn gezicht af te lezen, hij stond al op instorten en het kon niet veel tijd kosten hem zover te krijgen.

Bertelsen zei: 'Vertel het maar, Vevang, vanaf het begin. Rustig en systematisch.'

Vevang keek van Bertelsen naar mij en de twee agenten. Zijn ogen waren dof. 'Ik... eerlijk gezegd heb ik er niets mee te maken. Jonsson leidt het allemaal, financiert het, de hele santenkraam. Ole Johnny is maar een stroman.'

Bertelsen zei droog: 'Heb je het nu over dat speelhol?'

'Ja?' antwoordde Vevang klagend, alsof er verder niets te bespreken was.

'Daar hebben we het niet over, Vevang', ging Bertelsen verder. 'We hebben het over de vrouw in de koelkast.'

'De vr-vrouw in...'

'En over Laura Losjes', zei ik. 'En Smile Hermannsen.'

'Laura Losjes? Smile Hermannsen?' bauwde Vevang na.

'Gedraag je niet als een seniele papegaai', zei Bertelsen. 'Beken maar dat jullie haar hebben vermoord.'

'Ver-verm...' Het woord bleef in zijn strot steken.

'Jij en Jonsson!' blafte hij.

'Ik... nee... het was een ongeluk!' barstte hij met overslaande stem uit. Toen was het gebeurd. Zijn hele gezicht leek achter zijn ogen samen te komen, in een uitdrukking van angst en opluchting tegelijk.

Bertelsen staarde me een ogenblik stug aan, toen zuchtte hij diep en zei: 'Juist. In orde. Een ongeluk. Kunnen we dan nog eens beginnen... bij het begin?'

Hij leek een aanloop te nemen, zette zich af en stak meteen van wal. 'We... We waren in die tent, Jonsson en ik, en Smile die ik kende, en een meisje dat Irene heette en waar Jonsson wel op geilde. Jonsson is dol op feestjes en hij zegt altijd dat we naar de mensen toe moeten, dat je daar je informatie haalt. Hij weet alles, die kerel... alles wat er maar te weten is... over iedereen in Stavanger.'

'We zijn niet onder de indruk', zei Bertelsen. 'Waar waren jullie... bij Ole Johnny?'

'Ja, en toen raakten we aan de praat met een man die zei dat hij Arne Samuelsen heette en die nodigde ons uit om bij hem thuis nog een borrel te drinken. We waren immers collega's, zoals hij het zei. Hij werkte bij dezelfde maatschappij. Jonsson ging mee, hij gaat altijd mee. Ik geloof dat hij...

ik geloof dat hij hem, haar, Samuelsen al snel door had. Hij doorziet mensen meteen en ik zag het aan zijn ogen... dat hij iets wilde uitzoeken. Hij kan vreselijk doordrammen, als hij eenmaal iets in zijn hoofd heeft.'

'Je bedoelt dat hij alleen meeging omdat hij van plan was om...'

'Hij wilde hem, haar kleineren. Ik heb hem wel vaker zulke mensen zien pakken. Geen travestieten, maar homo's. Hij...' Er ging een koude rilling door hem heen. 'Hij vermoordt me als hij hoort dat...'

'Daar krijgt hij nauwelijks de kans toe. Ga door.'

'Op straat kwamen we Laura Losjes tegen en aangezien Smile Hermannsen haar kende, mocht ze ook mee. Jonsson porde me in mijn zij en zei: "Dat komt goed uit. Dan zijn we stelletjes..." Achteraf begreep ik pas wat hij bedoelde.'

Vevang staarde mij aan, alsof hij niet begreep wat ik daar deed. Hij keek naar de twee agenten, maar die zeiden ook niets. Het was nogal benauwd binnen, als in een bus tijdens het spitsuur, met de bekende Noorse sfeer die daarbij hoort: niemand zei een woord. Ten slotte vestigde hij zijn blik weer op Bertelsen.

Bertelsen zei: 'Toen jullie bij Arne Samuelsens woning aankwamen, wat gebeurde er toen?'

'We... we hebben een poosje zitten drinken en toen... toen stelde Jonsson voor... We waren allemaal nogal dronken en Jonsson haalde een pakje kaarten uit zijn zak en zei dat ze thuis in de States bij zulke gelegenheden altijd... strippoker speelden. Hij keek Sa-Samuelsen aan toen hij dat zei en ik zag dat die bleek werd. Ik... is het goed dat ik hem... dat ik hij zeg?'

Bertelsen haalde onverschillig zijn schouders op.

Vevang ging door, hij praatte nu sneller, alsof hij het zo snel mogelijk achter de rug wilde hebben. 'Hij... Sa-muelsen... hij stond op en ging naar de keuken, met een smoesje. Jonsson ging er achteraan. Ik geloof niet dat de anderen er erg in hadden. Ze waren te dronken, Smile zat met Laura Losjes te rotzooien, en Irene... Toen hoorde ik een dreun in de keuken. Ik ging erheen. Jonsson had Samuelsen bij zijn revers vast en tilde hem van de vloer. Hij sloeg hem met zijn hoofd tegen de keukenkast. "Je doet mee, goor zwijn! Je doet mee, vuile smeerlap!" En toen... Ik weet niet wat er precies gebeurde... hij sloeg te hard of zijn nek kwam ongelukkig terecht, net tegen de rand van de kast. Het... het was in een fractie van een seconde gebeurd. Er knapte iets en toen hing zijn hoofd daar, slap, met weggedraaide ogen. Hij... hij...' Hij kokhalsde. 'Je weet wel, als iemand sterft...'

'Dat weten we', zei Bertelsen. 'En toen?'

'Ik viel ter plekke zowat flauw, maar Jonsson... die bleef rustig. We... eerst moesten we de anderen eruit werken. Eerst Laura en Smile. Toen Irene. We hebben zijn... haar... kleren uitgetrokken en bedacht wat we met haar zouden doen. We zagen de koelkast waar Jonsson de roosters toen uit heeft gehaald. We hebben geprobeerd haar erin te duwen, maar haar hoofd zat in de weg. Toen kreeg hij het heldere idee, dat als het lijk gevonden werd... zonder hoofd... dat het dan moeilijker te identificeren zou zijn.'

'En toen hebben jullie haar hoofd eraf gesneden?'

Hij knikte en slikte. 'Ik... ik moest het vasthouden. Maar ik heb steeds de andere kant op gekeken, naar het raam. Hij heeft het eraf gesneden... met een keukenmes, een fileermes.'

'Mijn God!' steunde Bertelsen. 'Hoe konden jullie...' De twee agenten waren lijkbleek. Hoewel ik voorbereid was, voelde ik hoe mijn maag begon op te spelen. Het was geen fraai verhaal. Het was ongeveer het gruwelijkste dat ik ooit had gehoord.

'Toen kregen we haar erin en zijn we hem gesmeerd.'

'Met het hoofd in een plastic tas?' vroeg ik.

'Ja. Jonsson heeft het laten verdwijnen, ik weet niet waar. Later...'

'Ja, kom maar op!' blafte Bertelsen. 'Je hoeft ons niet te sparen.'

'We waren van plan om het lichaam ook weg te halen, voordat er iemand zou komen om... We hebben het huis in de gaten gehouden om te zien wanneer de hospita weg was, maar toen dook Veum op met zijn vragen en net toen we daar waren om... haar te halen, toen dook hij ook op. We moesten... Jonsson heeft hem neergeslagen, maar het was net een nachtmerrie, want toen kwam die vrouw, de hospita. We moesten hem wéér smeren.'

'En toen werden jullie echt nerveus?' was ik Bertelsen voor. 'Toen begonnen jullie de ene ster na de andere uit de kerstboom te plukken. Laura. Smile. Waarom Irene niet?'

'Jonsson had een zwak voor haar. Bovendien konden we haar niet vinden.' De laatste zin had een dubbele bodem die niet te missen viel.

Ik ging verder: 'Toen probeerden jullie mij de stad uit te jagen. Ole Johnny en zijn mannen kwamen op bevel van de baas opdraven, nietwaar? En dan waren er nog de geluidsbanden van Elsa, die plotseling van belang konden zijn, en daarom probeerden jullie zowel haar als mij uit de weg te ruimen... jullie moeten volkomen in paniek zijn geraakt!'

'Maar ik heb het niet gedaan. Het *was* een ongeluk.' Hij keek ons met een smekende blik aan, alsof hij het hele griezelverhaal met een bede om vergiffenis hoopte af te ronden.

'Onderteken je dit allemaal?' vroeg Bertelsen formeel.

Hij knikte zwijgend, met tranen in zijn ogen. Zijn gezicht glom van het zweet, zijn haar zat in de war, hij keek wanhopig en onrustig uit zijn ogen.

We lieten hem achter in zijn cel, alleen met zijn gedachten.

De anderen gingen daarna naar Carl B. Jonsson. Ik liep de trap op naar Elsa. Ik kon het verhaal niet nog eens aanhoren.

Toen alles voorbij was, stonden we buiten op de stoep voor het politiebureau op een taxi te wachten. Ze had haar arm door de mijne gestoken en leunde tegen me aan. Het was na middernacht en de blote hemel was bezaaid met een rommelig eczeem van sterren. Door het open raam van een langsrijdende auto hoorden we gelach en gejoel.

Ik keek naar haar magere gezicht. Ze ving mijn blik en zei: 'Ik denk dat ik maar naar huis ga... weg uit Stavanger.' Terwijl ze haar schouders ophaalde voegde ze eraan toe: 'Ik heb onderhand vast genoeg interviews.' Ze glimlachte mistroostig.

Ik streelde haar over haar wang. Ze zei: 'Denk je dat we elkaar nog eens zien?'

Ik haalde even mijn schouders op. 'Wie weet? Misschien.'

De taxi kwam en de chauffeur floot. We zwaaiden om duidelijk te maken dat hij even moest wachten.

Ze zei: 'Ga mee, Varg. Ga met me mee naar huis... nu!' Met haar smalle handen hield ze mijn bovenarmen vast, keek me met opgewonden ogen aan.

Ik zuchtte diep. 'Vanavond niet, Elsa. Ik... ik ben uitgeput. Letterlijk. Ik wandel naar het hotel, dan krijg ik nog een beetje frisse lucht.' Een korte, pijnlijke pauze. Toen zei ik: 'Welterusten, Elsa, en... het ga je goed...'

Ze keek naar me op, met een intense blik. Haar ogen stroomden over, ze ging op haar tenen staan en kuste mijn mond met zachte, open lippen. Toen streelde ze me snel over mijn wang, draaide zich om en holde naar de taxi.

Ze zwaaide naar me terwijl ze instapte. Met half opgeheven hand staarde ik de taxi na tot hij was verdwenen.

Ik had een brok in mijn keel.

Het leven was vol afscheid. Het werd zo langzamerhand tijd om weer eens hallo tegen iemand te zeggen.

40

Bij de laatste bocht ging ik het dek op om naar de stad te kijken. Bergen lag in bevroren pose tussen de heuvels. Het was bijna halftwaalf, boven de berg Løvstakken drong de zon als een vage, okergele cirkel door de mist.

De bergen droegen witte mutsen van verse sneeuw. Op Fløien vormden de dennenbomen een lange begrafenisstoet van witgeklede monniken. Ik wist hoe het nu daarboven zou zijn. Verse, witte skisporen verstild tussen de bomen: loipes die slechts hier en daar werden gekruist door het spoor van een haas. En boven dat alles verrees de hemel, turkoois en doorzichtig, met een sierlijke rand van gouden zonneschijn. Winter. Stilte. Vrede.

Maar vanuit het centrum steeg het lawaai van het verkeer op en de straten waren smerig, de sneeuw in de goten roestbruin en morsig. Ik verliet het schip en wandelde langs de kade naar mijn kantoor, nam de lift naar de derde verdieping en maakte de deur open. De wachtkamer was donker en stil. De stoelen leken te herinneren aan alle gemis in het leven, alle oneindige leegtes. Ik opende de deur naar mijn kantoor. De lucht was koel, de atmosfeer bedompt. Ergens was het alsof ik niet was weg geweest, maar aan de andere kant leek het alsof ik hier nog nooit was geweest. Ik had het gevoel buiten mezelf te staan – als mijn eigen schaduw. Ik bleef bij de deur staan en zag mezelf door de kamer lopen, mijn hand toevallig langs de rand van het bureau glijden, de stapel post uit de brievenbus wegleggen. Ik zag hoe ik me in mijn stoel liet vallen en door het raam staarde: een blonde man, eind dertig, met bij de slapen een paar grijze haren die alleen in fel zonlicht te zien waren, met gelaatstrekken die zo langzamerhand hun vorm hadden gevonden en met ogen die te veel plotselinge sterfgevallen hadden gezien, te veel verwoeste levens.

Ik zag hoe ik mijn hand naar de telefoon uitstrekte en een nummer draaide. Ik luisterde hoe de telefoon overging. Hij ging twee keer over, drie keer, vier, vijf, zes. Na de achtste keer werd er opgenomen en een matte stem zei: 'Ja?'

'Mevrouw Samuelsen?'

'Ja.'

'Met Veum. Het spijt me.'

Ze gaf geen antwoord.

Ik sprak verder: 'Ik weet niet hoeveel de politie u heeft verteld...'

Na een poosje klonk het: 'Genoeg.'

'Ik dacht dat ik... misschien kan ik nog iets toevoegen. Het beeld afmaken, als u dat wilt.'

'O.'

'Zal ik nu naar u toekomen... of wilt u liever wachten?'

'Komt u maar.'

'Meteen?'

'Ja. En Veum, neem meteen de rekening mee.'

'Maar...'

'Ik wil u daarna liever niet meer zien.'

'Juist, ja. Dan kom ik zo snel mogelijk. Tot straks.'

Ze mompelde nog iets en hing op.

Ik bleef aan mijn bureau zitten. Ik zocht alle kwitanties bijeen, telde de dagen en tikte de rekening uit, met een doorslag, op de oude schrijfmachine die ik voor vijftig kronen op een rommelmarkt had gekocht. Hij maakte evenveel herrie als een circusorkest, maar hij typte wat hij moest.

Voor ik wegging, belde ik Solveig. Toen ik haar stem hoorde, bleef ik een paar seconden zitten luisteren voor ik zei: 'Hallo, met mij. Ik ben weer terug.'

'Hallo!' zei ze. En toen nog eens: 'Hallooo! Is alles goed met je? Is het goed afgelopen?'

'Ik heb... ja. Het is goed afgelopen.'

Haar stem klonk gehaast, nerveus bijna. 'Ik wil graag... ik moet met je praten, Varg...'

'Ik verlang er ook naar jou weer te zien.'

'Ik... kunnen we iets afspreken, nu, vandaag?'

'Je klinkt een beetje... Het klinkt alsof er iets ernstigs is.'

Ze zei snel: 'Het is zo raar, als we niet bij elkaar zijn, zoals nu... een hele week... dan is het of ik... alsof ik dan pas echt alles overzie, vanuit een ander perspectief, begrijp je wat ik bedoel?'

Ik kreeg een onaangenaam gevoel in mijn maag. 'Ik moet eerst even naar mijn cliënt, maar... kun je hierheen komen, straks? Of zullen we ergens anders afspreken?'

'Ik kom naar je toe. Hoe laat zal ik komen?'

Ik keek op de klok. 'Een uur of drie, halfvier? Is dat goed?'

'Prima! Tot straks.'

'Tot straks.'

Mijn blik gleed door het raam naar buiten, weer omhoog naar Fløien. Witte hellingen, verse skisporen – rechtstreeks de eeuwigheid in. Toen schudde ik het onbehaaglijke gevoel van me af, smolt bij de deur weer samen met mezelf en ging op weg naar mevrouw Samuelsen.

41

Mevrouw Samuelsen was sinds vorige week maandag tien jaar ouder geworden. Haar verweerde huid was nog droger geworden, nog rimpeliger en haar ogen waren mat en melkwit. Ze bewoog zich nog moeizamer en ik moest mezelf weerhouden om haar niet te ondersteunen toen ze naar binnen liep.

In de kamer heerste een merkwaardige schemering. Er brandde slechts één wandlamp en daarin had een van de twee peertjes het begeven. De ander probeerde moeizaam door het geelbruine, dichte lampenkapje heen te dringen. Het portret van haar dochter – Ragnhild – stond nog steeds op de secretaire.

We gingen zitten en keken elkaar aan. Ik wist niet precies waar ik moest beginnen. Zij had überhaupt niets te zeggen. Toen we eindelijk spraken, begonnen we gelijktijdig.

Ik zei: 'Ik weet niet...'

Zij zei: 'De politie...'

Toen hielden we allebei onze mond en de stilte werd zo mogelijk nog pijnlijker.

Ik deed nog een poging: 'Het zou in veel opzichten aanzienlijk eenvoudiger zijn geweest, mevrouw Samuelsen, als u mij van het begin af aan alles had verteld.'

'Er was niets te vertellen', zei ze snibbig. 'Als hij... als ze alleen maar verdwenen was, als u haar had gevonden... ik kon haar geheim, haar leven niet verraden, alleen maar omdat ik... ongerust was.'

'Maar toen u hoorde over die vrouw... in de koelkast. Toen moet u toch in elk geval de mogelijkheid hebben overwogen.'

'U begrijpt het niet', zei ze.

'Jawel... ik denk dat ik...'

'Ik *hoopte* immers... dat het niet zo zou zijn, dat het... iemand anders was.'

Ik knikte.

Nu was het haar beurt om de stilte te doorbreken. Haar stem klonk zacht en monotoon. Ze vertelde het niet omdat ze dat zo graag wilde, maar omdat ze waarschijnlijk voelde dat ik er op een bepaalde manier recht op had. 'Het was verschrikkelijk om zo'n geheim te moeten bewaren. Al die jaren. Niet alleen de afgelopen acht jaar, maar veel, veel langer. Ik zag het immers... tijdens haar jeugd, haar interesses, de kleren die ze wilde dragen, haar roekeloosheid, dat ze liever met jongens speelde toen ze klein was, en... later toen ze een tiener was ook. Ze... ik geloof niet dat het iets met *seksuele* geaardheid te maken had.' Ze zei het woord met neergeslagen blik, kenmerkend voor haar generatie. 'Het was meer dat ze voelde dat ze bij hen hoorde, bij de jongens, haar vrienden.'

Nu keek ze op, alsof ze wilde nagaan of ik wel luisterde, of ik oplette. Ik knikte om te laten zien dat ik haar volgde, maar ik zei niets.

'Mijn man zou haar nooit hebben toegestaan te veranderen. Daarom heeft ze zo lang gewacht, tot hij in 1972 overleed. Maar toen gebeurde het allemaal ineens heel snel, binnen een maand... en ik kon er niets van zeggen, niet protesteren. Want dan zou ik haar *helemaal* kwijtraken, begrijpt u?'

Ik knikte.

Haar stem trilde een beetje. 'Dus... dus mijn dochter overleed, in 1972... en in plaats daarvan kreeg ik een zoon.'

'Die u Arne noemde.'

'Daar zijn we het altijd over eens geweest,' klonk het zwak, 'dat hij zo zou heten, als we een zoon kregen.' Ze was ver, ver weg toen ze eraan toevoegde: 'Ik had zo graag... kleinkinderen gehad...'

Even later vroeg ze: 'Wilt u nog meer weten?'

Met spijt in mijn stem zei ik: 'Eigenlijk ben ik gekomen om u iets te vertellen.'

Ze zei kortaf: 'Ik hoef het verder niet te weten. De politie heeft me alles verteld. Ik wil niets meer horen.' Haar gezicht was vastbesloten, hard, tien jaar ouder.

'Hij... ze heeft het goed verborgen gehouden', zei ik. 'Op zee... en op het platform.'

'Ze is altijd nogal preuts geweest', antwoordde ze bitter.

Ik knikte. Aan boord van een schip heeft de bemanning eenpersoonshutten, op een platform werken ze in ploegen. Waarschijnlijk was het niet zo moeilijk geweest. Ik staarde naar het zwarte kussen. De tekst leek bijna obsceen frivool, na alles wat er was gebeurd: *La belle France*.

Haar stem werd zakelijk: 'Heeft u de rekening meegenomen?'

Ik gaf ze haar. 'Het heeft geen haast.'

Ze gaf geen antwoord. 'Wilt u alstublieft even naar de gang gaan?'

We herhaalden de procedure van de vorige keer, maar ditmaal vroeg ze me niet terug in de kamer. Ze kwam naar buiten en in de donkere gang telde ze de honderdjes voor me uit, een voor een.

We bleven bij de deur staan. Ik zei: 'Het spijt me echt heel erg. Als u nog eens hulp nodig heeft...'

Ze keek langs me heen, naar de deur. Ze zei niets, knikte

alleen met fletse ogen en samengeknepen mond. In de gang hing de flauwe geur van kool. Ik pakte haar hand, drukte die, deed de deur open en liep naar buiten.

Voor ik me had kunnen omdraaien, had ze de deur al achter me dichtgedaan.

De Dragefjellstrap lag er verlaten bij. Als het rumoer van het verkeer er niet was geweest, had de stad uitgestorven kunnen zijn. De zon was achter de bergen verdwenen en het was koud. Langzaam begon ik te lopen, stap voor stap de oude trappen af. Een losliggende tegel maakte een droog, knappend geluid toen ik erop stapte... als een kreet ergens in de verte.

42

Toen ik weer op kantoor kwam, hing er een briefje op mijn deur: Ik wacht beneden in de cafetaria, S.

Ze zat aan een tafeltje bij het raam. Ze keek naar de markt en zag me pas toen ik al vlak bij haar tafeltje was. Ze strekte haar hand uit, omklemde mijn vingers en glimlachte een droeve glimlach.

Ik ging tegenover haar zitten. Ik wist zo'n beetje wat ze me wilde zeggen. Terwijl ze sprak, speelden haar handen met het lege koffiekopje. Ik keek naar haar ogen. Donkere, sprekende ogen, met zachte wimpers, vrouwelijk en warm. Ik had haar ogen altijd het mooist gevonden.

Mijn hand lag op tafel tussen ons in. Toen ze uitgesproken was, greep ze hem stevig vast, met beide handen, vouwde haar vingers eromheen, drukte hem. 'Maar we blijven altijd vrienden, nietwaar, Varg?'

Ik knikte. 'Natuurlijk.' Na een korte pauze zei ik: 'Je moet het niet zo zwaar opnemen. Het is jouw schuld niet. Ik heb dit eerder meegemaakt. Het is niet de eerste keer dat ik als tweede de eindstreep bereik. Of als derde, om precies te zijn.'

Haar gezicht trilde. Haar ogen werden nog donkerder. Ze kneep zo hard in mijn hand dat het bijna pijn deed.

Toen pakte ze snel haar spullen bij elkaar en stond op. 'Dag lieverd', zei ze, met duidelijke nadruk op het laatste woord. 'Bel me eens, als je wilt.'

'Ik...'

Ze bleef staan, wachtte op wat ik zou zeggen.

'Ik zal er altijd zijn, Solveig. Ik zal altijd op je wachten. Je weet waar je me kunt vinden, dat je me kunt vinden.'

'Dank je', zei ze zacht, bijna als een zucht. 'Ik voel me... bevoorrecht.' Toen glimlachte ze nogmaals haar droeve glimlach en liep snel naar buiten.

Ik bleef bij het raam zitten en volgde haar met mijn blik toen ze even later de markt overstak, op weg naar huis.

Ik ging naar boven naar mijn kantoor en belde Harry Monsens detectivebureau in Oslo op. Monsen was er niet, dus ik vroeg de telefoniste hem mijn groeten over te brengen en te zeggen wat mijn definitieve antwoord op zijn aanbod was: Nee.

Toen ging ik naar huis. Ik zette mijn koffer neer, hing mijn jas op en liep naar de keuken. Ik maakte de koelkast open. Die was leeg. Ik deed de deur voorzichtig weer dicht, ging uitgeput aan de keukentafel zitten en staarde uit het raam, zonder me te bewegen.